Alessandra Bonatti
Firenze   2.94

Dacia Maraini

Cercando Emma

Rizzoli

Proprietà letteraria riservata
© *1993 RCS Rizzoli Libri S.p.A., Milano*

ISBN 88-17-66477-4

Prima edizione: ottobre 1993

Cercando Emma

Emma Bovary è una di quelle persone «di casa» nella nostra città interiore, ci sembra di conoscerla da tanto, la sua storia ci è familiare.

Per anni abbiamo sentito dire che Emma è la creatura più amata da Flaubert, tanto da spingerlo a identificarsi pubblicamente con lei: «*Madame Bovary c'est moi*». Abbiamo sentito dire che l'adulterio di Emma viene annunciato, spiato, seguito dal suo autore con profonda comprensione, quasi che il romanzo fosse una giustificazione della libertà d'amore femminile all'interno delle strettoie del matrimonio borghese, in un ambiente saturo di banalità e di luoghi comuni.

Eppure nel mio ricordo – quando ho letto il romanzo per la prima volta, con l'avidità dell'adolescenza, avevo sedici anni – conservo un sentimento di sconcerto e di malessere. Ma non per la scabrosità del tema e neanche per la orribile punizione finale, che pure mi ha lasciata senza fiato, ma per il modo dileggiante e rabbioso con cui mi veniva fatta conoscere questa donna.

Allora non capivo che si tratta di una questione di prospettiva. Da lettrice inesperta mi ero immersa nelle acque tetre, bellissime del romanzo e non distinguevo, non capivo da dove mi venivano i colpi. Ma erano colpi severi per chi, come me, desiderava capire e simpatizzare con il personaggio.

Emma si presentava come una figura tragica, la vittima di un matrimonio soffocante, tenuta in ostaggio da un marito vile e inetto.

Oggi, ripercorrendo il libro, Emma mi appare sì un ostaggio, ma non del marito, bensì del suo autore che la incalza con un accanimento e una tenacia che sfiorano il grottesco, attraverso una determinazione amara e sbeffeggiante.

«La cosa di cui ci lamentiamo» scrive Henry James, nel saggio *D'Annunzio e Flaubert*, «è che Emma Bovary, nonostante la natura della sua coscienza e sebbene essa rifletta tanto quella del suo creatore, sia veramente qualcuno di troppo limitato.» E si chiede, accorato, «perché Flaubert scelse, come speciali veicoli della vita che si proponeva di dipingere, degli esemplari umani così inferiori».

È la domanda che mi sono fatta anche io alla prima lettura e che continuo a farmi oggi ed è la ragione per cui ho sentito il bisogno di scrivere queste pagine, cercando di saperne di più. Non solo del rapporto Flaubert-Emma, ma di quello in generale degli autori con i loro personaggi.

Poiché le lettrici sono più dei lettori, poiché queste lettrici amano identificarsi con i personaggi femminili dei romanzi, succede a volte che si ingegnino a trovare, nelle eroine dei libri, qualità che in realtà esse non hanno.

La tenacia delle lettrici è senza limiti, quasi quanto il loro entusiasmo creativo. Esse scavano nei libri come talpe sapienti e cercano di forgiare il personaggio a modo loro, secondo le loro più profonde esigenze, senza curarsi, poi, di controllare che le qualità attribuite al personaggio dei loro desideri, corrispondano davvero al carattere della protagonista.

È successo così che Emma Bovary, regina di un romanzo straordinario per le sue qualità visionarie e per i dettagli realistici, sia stata assunta dalle lettrici come una «portatrice di bandiera», quasi una pilotessa che, in barba alle pidocchierie del matrimonio borghese, si prenda delle «sacrosante» libertà.

Poche si curano di andare a guardare più da vicino il personaggio e come l'autore lo giudichi, momento per momento, disegnando minuziosamente il suo carattere. Le lettrici sono disposte a ogni trasformazione pur di prendere possesso di una merce così rara in letteratura: un carattere femminile forte, con una sua visibile volontà d'azione.

Anch'io, da lettrice ingorda e ingenua, alla prima lettura ho visto in Madame Bovary un personaggio di donna coraggiosa e appassionata a cui mi piaceva accompagnarmi nelle mie passeggiate mentali, come ci si accompagna con una donna dai pensieri decisi, dai piedi forti e leggeri.

Solo anni dopo, rileggendo il bellissimo e sensuale romanzo di Flaubert, mi sono resa conto di quanto sia malvoluta Emma Bovary, di quante miserie la carichi il suo autore, tanto da non poterle trovare neanche una qualità, una sola.

Il romanzo comincia in modo splendente con la scena, che tutti ricordiamo, del nuovo studente che arriva alla scuola di campagna. Si chiama Charles Bovary ma non sa neanche pronunciare chiaramente il suo nome, che viene storpiato in «Charbovari». È goffo, pesante, impacciato e si muove con lentezza. Al solo suo apparire la scolaresca scoppia a ridere. Tanto che il professore gli fa scrivere venti volte, sul foglio del quaderno: *ridiculus sum*.

Eppure in questo inizio stesso c'è qualcosa che ci inquieta, ci lascia dubbiosi. L'anomalia consiste nella presentazione di una voce narrante, un io in carne e ossa che poi si perderà misteriosamente senza che si sappia perché.

È strano che un autore così accurato come Flaubert non se ne sia accorto. A meno che questa svista non rappresenti un segno clandestino per aprire una qualche porta segreta del romanzo.

Il primo capitolo inizia così: «Stavamo studiando quando entrò il preside», frase che implica la scelta di un preciso punto di vista: un testimone, un ricordo, qualcuno che ci racconta di un suo compagno di scuola poi finito medico a Yonville, eccetera.

Ma questo io narrante lo perdiamo già alla fine del primo capitolo. Si tratta di una perdita volontaria, di un capriccio, di una dimenticanza, di un lapsus?

Vista la pignoleria quasi maniacale dello scrittore,

direi che si tratta piuttosto di una spia messa lì a indicarci uno stato di incertezza prospettica che accompagnerà tutto il libro. Che il lettore si confonda pure, il romanzo è tutto impastato di questa incertezza di punti di vista che ne costituiscono la sottile originalità.

Solo così si può spiegare il «Madame Bovary sono io». La scrittura flaubertiana in questo libro ha la consistenza di uno specchio finto, che, se da una parte ci rimanda l'immagine di una giovane e bella donna dai capelli neri divisi in due bande, dall'altra ci fa intuire che dietro lo specchio c'è un altro corpo ben più robusto e virile, che prova piacere a denigrarsi attraverso i tratti delicati di una donna inquieta e velleitaria. «Egli non può che sognare di essere l'altro» scrive Sartre nell'*Idiota di famiglia*, «e recitare per la propria soddisfazione il ruolo dell'uomo d'azione.»

Il libro, certo, può essere letto in vari modi, sia come il ritratto impietoso, analitico e realistico di una adultera della provincia francese del secolo scorso, sia come la presa in giro di una mistificazione culturale, sia come la critica di un carattere velleitario, sia come una anatomia del linguaggio comune, sia come il ritratto nervoso e naturalistico di una cittadina di provincia con i suoi ridicoli e meschini personaggi, sia perfino come un romanzo sull'amara risibilità del nulla: «Quello che mi sembra bello, quello che vorrei fare è un libro sul niente» scrive Flaubert a Louise Colet il 16 gennaio 1852.

I vari piani di lettura compresi nel testo sono tutti legittimi. Salvo poi scoprire quei piccoli segnali di malessere che ne fanno un libro perfettamente ambiguo e perfettamente splendido.

Proverò qui a raccogliere i sassolini lasciati cadere da Emma sulla strada del bosco, per vedere se ci portano verso la casa del desiderio impossibile o verso qualcosa di più oscuro e imprevisto.

La prima volta che la incontriamo, Emma è ancora una ragazza priva di esperienza, che vive nella casa del padre, in una fattoria di campagna.

Quando Charles Bovary alza gli occhi su di lei, Emma sta ritta in piedi sulla soglia di casa con un sorriso gentile sulle labbra e indossa un vestito di «merinos azzurro guarnito di tre balze».

L'azzurro, il cilestrino, il blu accompagnano spesso le descrizioni della bellezza di Emma. Sebbene i suoi occhi siano neri, come precisa Flaubert quasi con rammarico, qualcosa di celeste l'avvolge sempre come un alone di spiritualità. Ma impareremo presto che di celestiale, in Emma, non c'è assolutamente niente. Il turchino sta lì a rivelarci qualcosa che riguarda la sua ambigua avvenenza, la sua abbagliante sensualità.

Il giovane dottore Charles Bovary si è laureato da poco, non senza difficoltà per la sua pigrizia che l'ha portato a trascinare gli studi per anni dimenticando di dare gli esami. Sarà la madre, infine, a costringerlo a prendere la laurea trovandogli, in seguito, sia un posto di medico condotto a Tostes, sia una moglie anzianotta con una buona dote: la vedova Madame Dubuc dalle braccia scheletriche, i piedi freddi e la pelle «ingemmata come la primavera».

Il dottore è stato buttato giù dal letto, quella mattina, da una lettera sigillata con ceralacca azzurra (un annuncio del colore che avvolgerà i suoi sensi per il resto della vita?) che lo chiama alla fattoria Bertaux per aggiustare la gamba rotta del signor Rouault.

«La frattura era semplice, senza complicazioni» spiega Flaubert che mette subito in dubbio le capacità mediche del giovane Bovary. Ma quest'ultimo, preso da un fervore neofita, dà subito ordini perché gli procurino le bende e le stecche per ingabbiare la gamba di père Rouault. La serva viene mandata a cercare dei pezzi di legno nella stalla; a Emma viene chiesto di cucire dei cuscinetti da introdurre fra la pelle e le stecche.

Ancora non ci è stata descritta fisicamente, la giovane Emma, salvo quell'accenno all'abito azzurro di lana merinos, che Flaubert ci dà una indicazione sul suo carattere: il padre, vedendola indugiare nella ricerca dell'astuccio degli aghi, si spazientisce e la rimprovera con sbrigativa impazienza. Emma, per quanto il rimprovero sia ingiusto, non risponde. Si mette rapida a cucire e nella fretta si punge le dita che «porta alla bocca per succhiarne il sangue».

Proprio come la bella addormentata nel bosco, a cui la fata cattiva aveva annunciato che si sarebbe punta e sarebbe caduta in un sonno mortale dal quale si sarebbe risvegliata, aveva aggiunto la fata buona, quando un principe azzurro l'avesse baciata. Ecco, possiamo immaginare che Emma entri, con quella puntura, nel letargo del matrimonio, finché non verrà svegliata dal bacio dell'adulterio.

L'autore ci tiene a presentarcela, all'inizio della storia, come soffusa di azzurro e remissiva. Ma presto scopriremo che quella remissività e quell'amore filiale sono solo tecniche di una rappresentazione teatrale, poiché Emma, lo sapremo in seguito, ama recitare. Non conosce la sincerità e neanche lo spirito critico. E ama anche cambiare rappresentazione altrimenti si annoia.

La prima recita che Emma offre ai lettori è proprio quella della giovane ragazza da marito, pudica e ingenua, brava e obbediente, figlia di un padre bonario e burbero. A questo punto ancora, forse, non sa di recitare. Lo fa d'istinto, come d'istinto modula la voce che «a seconda di quello che diceva poteva diventare chiara o acuta o, coprendosi improvvisamente di languore, trascinava delle modulazioni che finivano quasi in un mormorio quando parlava a se stessa».

L'altra cosa che colpisce lo sguardo di Charles, dopo l'azzurro del vestito, è la bianchezza delle unghie di Emma: «Erano brillanti, fini in cima, più lisce dell'avorio di Dieppe e tagliate a mandorla».

Eppure, precisa l'autore, non si possono dire delle mani proprio belle, perché «non sono abbastanza pallide e perché sono un poco secche sulle falangi e anche troppo lunghe e prive di quelle molli sinuosità delle linee sui contorni».

Invece gli occhi vengono giudicati belli, senza riserve, «per quanto fossero bruni sembravano del tutto neri per il gioco delle ciglia». E quegli occhi si rivolgevano verso il dottore appena conosciuto, con un «candido ardimento».

Uno sguardo attento e non privo di senso critico quello di Charles, un senso critico che gli si affievolirà man mano fino a scomparire del tutto nel corso del matrimonio.

Il signor Rouault invita il medico a «prendere un boccone» con loro prima di tornarsene a Tostes. E così scendono tutti e tre nella sala da pranzo al piano rialzato. «Si sentiva un odore di iris e di panni umidi» nella sala ingombra di sacchi di grano. Sola nota curiosa: una testa di Minerva disegnata con il carboncino, sotto cui spicca, in caratteri gotici, la scritta «al mio caro papà».

Così ci vengono segnalati due dati che contraddicono la prima impressione di remissività e di autocontrollo della signorina Emma Rouault: gli occhi che guardano con «candido ardimento» e la testa di Minerva che, per quanto dedicata umilmente al padre, indica una scelta tutt'altro che arrendevole, quasi un intento bellicoso: Minerva è una dea armata.

Veniamo intanto informati che «mademoiselle Rouault non si divertiva affatto in campagna» dal padre, soprattutto ora che, in seguito alla morte della madre, «aveva dovuto caricarsi quasi da sola tutto il peso della conduzione della fattoria».

Il padre d'altronde non la considerava indispensabile, anzi trovava «che sua figlia aveva troppo spirito per la coltura dei campi, un mestiere maledetto dal cielo, infatti, chi ha mai visto dei milionari in campagna!».

Sia lui che Charles Bovary guardano alla ragazza come a un fiore troppo prezioso (quella pelle bianchissima, quelle mani delicate, quei piedini da parigina, quei vestiti azzurri e ben agghindati) per essere lasciato a languire in una fattoria, fra vacche e pecore.

«Il collo usciva da un colletto bianco col risvolto. I capelli, di cui le due bande nere sembravano ciascuna fatta di un solo pezzo tanto erano lisce, erano separate al centro da una scriminatura fine che si infossava leggermente secondo la curva del cranio e, lasciando scorgere la punta dell'orecchio, andavano a racchiudersi sulla nuca in una crocchia abbondante, accompagnata da piccole onde dirette verso le tempie che il medico di campagna notò per la prima volta nella sua vita. Gli zigomi erano rosei. Ed ella portava, come un uomo, trattenuto da due bottoni del corsetto, un occhialetto di tartaruga.»

Altro segno che contraddice la visione iniziale. Che ci fa quell'occhialetto da uomo sul vestito tanto femminile (di merinos azzurro, a tre balze) di Emma Rouault? Non sta a dirci che Emma nasconde, o rivela solo in parte, qualcosa di diverso da quello che vorrebbe apparire? Qualcosa che prende significato solo per l'occhio acuto dell'osservatore attraverso i piccoli segni di una personalità contraddittoria?

«La tua immagine resterà in me tutta imbevuta di poesia e di tenerezza come era ieri notte nel vapore lattiginoso della nebbia argentata.» *(6 o 7 agosto 1846)*
«Ah le nostre due belle passeggiate in carrozza, che meraviglia! La seconda soprattutto con i suoi lampi. Rammento il colore degli alberi illuminati dalle lanterne, e il dondolio delle molle; eravamo soli, felici, contemplavo la tua testa nella notte e la vedevo nonostante il buio perché i tuoi occhi ti rischiaravano tutta la faccia.» *(4-5 agosto 1846)*

Questi sono brani di lettere che Gustave Flaubert ha scritto a Louise Colet poco dopo averla incontrata in casa dello scultore Pradier in uno dei suoi rari soggiorni a Parigi, cinque anni prima di mettersi a scrivere *Madame Bovary*.

Perché li cito? perché leggendo l'epistolario di Flaubert – quest'uomo così avaro con i libri era estremamente prodigo nelle lettere che scriveva di getto, con uno stile fluido e disteso, scintillante di ironia e di intelligenza – non ho potuto fare a meno di riconoscere Emma in Louise e Louise in Emma.

Il romanzo, come hanno detto e ripetuto i suoi amici, si è ispirato (anzi, è stato proposto come tema d'ispirazione dopo che i suoi amici avevano decretato il fallimento del suo *Le tentazioni di sant'Antonio*) a un famoso fatto di cronaca di quegli anni: il caso Delamare.

Una donna, Delphine Couturier Delamare, si uccide travolta dai debiti e il marito viene a sapere da alcune lettere nascoste che ha avuto degli amanti. Il marito, Eugène Delamare, era un ufficiale sanitario. Certamente la storia è quella. Ma quando si è trattato di dare un corpo, un carattere al personaggio di Emma, non possiamo non pensare che sia stato più naturale per Flaubert modellarlo su qualcuno che gli fosse più vicino e conosciuto.

Inoltre il romanzo porta le tracce dei sentimenti che hanno caratterizzato la storia di questa «passione» prima impetuosa, violenta, dolente, poi man mano più spinosa, artefatta, impaurita, con incontri sempre più rallentati e sporadici, fino all'intolleranza e all'odio finale.

Emma la ritroviamo nelle lettere di Gustave a Louise, perfettamente disegnata, riconoscibile nelle sue contraddizioni esplosive: da una parte molto femminile nelle sue seduzioni dolci e morbide, nelle sue tenerezze e generosità, nei suoi disamori di sé e nell'attaccamento morboso all'essere amato; dall'altra un poco maschile nelle sue più ardite asserzioni di sé, nella sua smania di indipendenza, nel suo spirito bellicoso, nelle sue aggressività a faccia scoperta.

Allo stesso tempo troviamo in Emma molti caratteri di Louise che, a loro volta, anche se negati e di straforo, appartengono allo stesso autore: certe adolescenziali predilezioni per l'esotismo, una infantile tendenza al feticismo, la capacità di perdersi nei sogni, la spavalderia teatrale, la pigrizia dei sensi, l'amore per le menzogne come fuga, il gusto per le «chincaglierie» che a volte fanno deviare il senso artistico.

Ci sembra di capire meglio Emma conoscendo Louise e di capire meglio Flaubert conoscendo le sue lettere che sono straordinarie nella loro vitalità, profondità, allegria e sincerità.

Il mondo epistolare di Flaubert è popolato, in realtà, soprattutto da figure maschili; alcuni compagni di scuola con cui continua a corrispondere per tutta la vita. Fra questi, Ernest Chevalier con cui fu intimo fino al matrimonio, che Flaubert considerò «un sottile tradimento». Da ragazzi si erano fatti incidere un medaglione con la scritta «Gustave ed Ernest non si separeranno mai». Alcune lettere cominciavano con una invocazione tenerissima «torna vita della mia vita, anima della mia anima», oppure «Se per caso non dovessi arrivare, verrò a quattro zampe come i cani del re [...] fino ad Andelus a cercarti...»; «tuo fino alla morte». *(22 aprile 1832)*

E poi c'era Alfred Poittevin, un compagno di collegio di qualche anno più anziano, definito dagli amici «un greco del basso impero». «Era un sofista, bizantineggiava» dirà di lui, poi, Maxime Du Camp. «Amava le discussioni metafisiche [...] ebbe una buona influenza letteraria su Gustave [...] gli insegnò l'arte di essere severo con se stesso nello scrivere [...] entrambi si votavano alle lettere e lo nascondevano come un delitto.»

C'era lo stesso Maxime Du Camp, che gli sarà vicino fino alla fine con alti e bassi, grandi intimità e litigi a non finire, malignità, propositi di non più vedersi e poi riavvicinamenti imprevisti.

Ma il più amato è certamente Louis Bouilhet (strano destino dei nomi, anche un'altra donna amata in un periodo di stanca con Louise Colet, la moglie dello scultore Pradier, si chiama Louise).

Bouilhet, che Gustave chiama confidenzialmente «il mio coglione sinistro» diventerà scrittore, drammaturgo e soprattutto «editor» intelligente di Flaubert, aiutandolo a sbrogliare la intricata matassa del suo progetto letterario più impegnativo, *Madame Bovary*.

E poi c'erano Ernest Feydeau, Jules Duplan, Guy de Maupassant, i fratelli Goncourt, Théophile Gautier, con cui Gustave scambiava lettere e visite.

Il tono delle lettere era spesso goliardico, infantile. «1° premio per la masturbazione solitaria: Ronchin.»

leggiamo in una lettera di Flaubert a Ernest Chevalier nei lontani anni '37-'38. «1° premio per la continuità del desiderio sodomitico (dopo di me), Morel. / 1° premio per la venuta nelle mutande: Morel. / 1° premio per la cotoletta: Fargeau. / 1° premio per lo sguardo del fesso: Fargeau. / 1° premio per eccessiva immoralità dello sguardo, gran premio: Morel.»

Per continuare a ventinove anni, da Girgeh, in Tunisia: «A Keneh ho scopato una bella tipa che mi amava molto e mi faceva segno che avevo dei begli occhi. Si chiama Osneh–Taouileh, che vuol dire "la lunga giumenta". È un'altra grossa porcona sulla quale ho molto goduto e che avvelenava il burro [...] Vecchio mio, cerca di non romperti troppo i coglioni. Non scopare troppo. Trattieni le tue forze, un'oncia di sperma perduto, vale più di dieci libbre di sangue». (2 giugno 1850)

E ancora a trentasette anni, da Croisset: «Mio focoso [...] mi mandi delle notizie delle arti e io ti mando in cambio delle notizie della campagna: il panettiere di Croisset tiene, come aiuto per fare il pane, un ragazzo corpulento. Ora il maestro panettiere e il suo aiutante s'inc... s'impastano al calore del forno. Ma (e qui comincia il bello) il suddetto panettiere possiede una moglie e questi due signori non contenti di inc... fottono di botte la poveretta. Picchiano duro per divertirsi e per odio della f...a (sistema Jérôme) [personaggio della Justine di Sade] con tanta convinzione che la povera signora è costretta a letto per diversi giorni». (28 agosto 1858)

E Bouilhet non è da meno: «Tutto è avvenuto, Monsignore, abbiamo il caviale e gioiamo in lui [...] non dimenticate di stringere la mano all'abate Duplan, caro Vicario generale». (14 marzo 1862) Si chiamavano così, Gran Vicario e Monsignore. «Ti sei scopato la Legier, Gran Vicario?» «Al signor Flahuberg, Evohè, Penna ardente! Mangiacarte Punico! Strippa libri! Sognatore!

Gola tonante! Unico! Parigino! Viaggiatore! Scassa-legge! Annusavagina! Garçon! Ti saluto, o tu che ritorni sabato! tutto tuo, di cuore.» (*29 novembre 1860*) In un'altra lettera gli dedica una poesia sulla merda: «Amo la merda! una cosa immortale! / forse è sbagliato, e lo dico a voce bassa. / La amo alla follia. / [...] essa ha il gran pregio che ci viene dal culo, / che è limpida e bella / e che la gente la annusa e non la mangia». (*2 ottobre 1857*)

Questo linguaggio fra escrementizio, goliardico, spaccone, provinciale Flaubert non lo abbandonerà mai, neanche quando sarà vicino alla morte. D'altronde era un modo per mantenersi giovani: usare il linguaggio dell'adolescenza tenuta viva per forza a furia di tenerezza, oscenità e ribalderie verbali.

Insieme andavano al bordello, insieme si scrivevano i testi (Gustave Flaubert scrive con Maxime Du Camp *Par les champs et par les grèves* nel '47 dopo un lungo viaggio in Normandia e in Bretagna), insieme discutevano, mangiavano, dormivano, bevevano, sognavano. Quando uno di loro si innamorava, incontrava la riprovazione, ma anche la complicità degli altri. Solidarizzavano sempre facendosi a turno da mediatori, da consiglieri, da correttori, da censori, da mezzani, cercando sempre di mantenere intatto quel piccolo mondo chiuso che si considerava superiore a ogni altro.

Sono le tre. La gente di casa Rouault è nei campi. «Delle mosche si arrampicavano lungo i bicchieri in cui si era bevuto e ronzavano affogando nel sidro rimasto sul fondo.»

Emma, molto graziosa nel vestito estivo che le lascia le spalle nude, porge al dottor Charles Bovary un bicchiere di liquore. Lui si schermisce ridendo. Lei insiste. «Sulle spalle nude si vedevano delle piccole gocce di sudore.»

Emma, secondo l'uso provinciale, tira fuori dallo stipo la bottiglia di Curaçao, lo versa nei due piccoli bicchieri che ha appoggiato sul tavolo. Uno lo porge al giovane e bel dottore, e l'altro se lo porta alle labbra. Beve d'un fiato alla campagnola. Lui, timido, impacciato, incerto, si lascia convincere e beve anche lui.

Finito il liquore, anziché rimettere il bicchiere al suo posto Emma lo tiene rovesciato sulla lingua per carpirne le ultime gocce. Quindi, «con dei piccoli colpi» di lingua, pesca sul fondo il liquore zuccheroso rimasto incollato al vetro.

Una piccola scena di seduzione, come si vede, rappresentata con ampiezza di dettagli visivi, quasi cinematografici. Scena da cui si deduce che Emma è capace di doppiezza: da una parte la recita della brava figliola umile e ubbidiente, dall'altra il gioco della esperta seduttrice, a seconda del capriccio teatrale del momento, così come modula la voce secondo le circostanze e gli umori.

Charles invece è tutto d'un pezzo. Non che Emma gli sia indifferente, ma probabilmente l'adulterio non gli è congeniale come non gli riesce di mentire perché non ha fantasia.

Ma le cose si mettono a posto per lui, senza che ci metta mano, quasi che gli dei lo tenessero d'occhio e gli spianassero la strada. Anche se non senza qualche ferocia.

Un notaio che prende il largo con i soldi del suo studio scoperchia la situazione economica della vedova Dubuc: «la casa di Dieppe risultò rosicchiata dalle ipoteche, la somma depositata presso il notaio Dio solo sapeva dove fosse sparita [...] quindi la brava donna aveva mentito. Esasperato, il signor Bovary padre ruppe una sedia contro il pavimento accusando la moglie di avere rovinato il figlio affibbiandogli quella ronzina i cui finimenti non valevano neppure la sua pelle».

I coniugi Bovary padre e madre si precipitano a Tostes per parlarne col figlio. «Ci furono delle scene. Héloïse, piangendo, si gettò fra le braccia del marito scongiurandolo di difenderla dai suoceri. Charles volle prendere le sue parti. Questi si infuriarono e ripartirono.»

Un dramma bassamente familiare, con l'esplosione dei peggiori sentimenti; tutto, si intende, in nome dell'interesse del figlio amato. Loro che l'avevano voluto sposare, controvoglia, a una ricca vedova in là con gli anni, ora che lei risulta rovinata, le si scagliano contro maledicendola e chiamandola «ronzina».

Charles si mostra più delicato e umano dei suoi genitori. Non infierisce contro di lei, ma anzi prende le sue parti, la difende pur sapendo che li avrebbe irritati e offesi. Ma il suo cuore è tenero e portato alla comprensione.

Ormai, scrive cinicamente Flaubert, «il colpo era stato dato. In capo a otto giorni, mentre stendeva della biancheria in cortile, Héloïse ebbe uno sbocco di sangue. Il giorno dopo, mentre Charles le voltava le spalle, disse "oh mio Dio", mandò un sospiro e svenne. Era morta. Che sorpresa!» A questo punto Charles potrebbe correre dalla amata Emma, ma non lo fa. Reagisce secondo il suo carattere che è pigro, lento, meditabondo. «Tornando dal cimitero vide il vestito della moglie ancora appeso ai piedi dell'alcova. Allora, appoggiandosi contro la scrivania restò fino a sera perduto in una fantasticheria dolorosa. Essa lo aveva amato, dopo tutto.»

Solo molti giorni dopo, Charles vede venire a casa sua père Rouault che gli porta le condoglianze e lo invita a tornare alla fattoria. E lui acconsente, ma è probabile che, senza quell'invito, avrebbe lasciato passare ancora molto tempo prima di prendere qualche decisione o forse avrebbe addirittura rinunciato del tutto a un nuovo matrimonio. Il carattere di Charles non si smentirà mai, fino alla fine, ed è fatto di pigrizia, di gentilezza d'animo, di ingenuità, di goffaggine, di infantilità. Ma questi non sono anche aspetti del carattere originario e negato di Flaubert?

La protagonista, non dimentichiamolo, però, è Emma. Perciò il racconto, dopo la breve crudele digressione sulla morte della vedova Dubuc, torna a lei, al suo passato che viene raccontato ai lettori con ironica malignità.

L'infanzia di Emma, ci viene detto, è stata delle più prevedibili: «educata dalle Orsoline, ha imparato la danza, un poco di disegno, di geografia, di ricamo e ha appreso a suonare con grazia il pianoforte. Inoltre ha sempre letto molto».

In convento si mostra pia e assidua alle funzioni. Tanto che le suore parlano di una «profonda vocazione» che, molto verosimilmente, la porterà alla monacazione. Per questo la circondano di cure e di riguardi.

Ma Emma non è affatto interessata ai rapporti fra

l'anima e Dio, ci dice Flaubert. «Vivendo nell'atmosfera tiepida delle classi e fra le suore dai grandi veli bianchi, [...] Emma amava soprattutto abbandonarsi ai languori mistici che salivano dai profumi dell'altare, dalla freschezza delle acquasantiere, e dalla brillantezza dei ceri» piuttosto che ad un vero sentimento religioso.

Il suo è un rapporto tutto estetico e sensuale con i rituali della Chiesa «come di una attesa emozionale, di un sogno letterario». Difatti, «invece di seguire la messa, Emma guardava nel suo libro i disegni bordati d'azzurro: amava la pecorella malata, il Sacro Cuore trafitto dalle frecce, il povero Gesù che cade camminando sotto la Croce». Come a dire un sentimento infantile e deteriore del sacro.

Quando andava a confessarsi arrivava a «inventarsi dei piccoli peccati pur di restare il più a lungo possibile in ginocchio nell'ombra, le mani giunte, il viso vicino alla griglia accanto al bisbiglio del prete».

Le piaceva pensare al Cristo come al «fidanzato, lo sposo, l'amante celeste» e ciò suscitava nella sua anima «delle dolcezze inattese».

Insomma ogni sua contemplazione presupponeva una qualche utilità: «bisognava che essa potesse ricavare dalle cose una sorta di profitto personale e respingeva come inutile tutto quello che non era adatto a essere immediatamente consumato dal suo cuore, essendo di temperamento più sentimentale che artistico, cercava delle emozioni e non dei paesaggi».

Leggeva dei libri d'amore che le prestava di nascosto una compagna, in cui si parlava di amanti lontani, fedeli, sognanti, «di turbamenti di cuore, di giuramenti, di singhiozzi, di lagrime e di baci, di navicelle al chiaro di luna, di usignoli nei boschi, di signori coraggiosi come leoni, dolci come agnelli, virtuosi come non lo si è mai, sempre ben messi, che piangevano come delle fontane».

A quindici anni Emma già aveva letto moltissimi libri, «in sei mesi si sporcò le mani della polvere di vecchi gabinetti di lettura. Con Walter Scott [...] si innamorò delle cose storiche, sognò cassapanche, sale di guardia e menestrelli. Pensò che avrebbe voluto vivere in qualche vecchio maniero, come quelle castellane dal lungo corpetto che, sotto i trifogli delle ogive, passavano le giornate, il gomito sulla pietra e il mento nella mano, a guardare venire dal fondo della campagna un cavaliere dalla piuma bianca che galoppava su un cavallo nero».

Pochi autori sono così precisi e puntigliosi nel rivelare i gusti letterari di un loro personaggio. Sia chiaro, sembra dirci Flaubert, che Emma inseguiva, già da adolescente, il peggio della letteratura dell'epoca, se ne invaghiva, se ne intossicava.

È l'insistenza con cui Flaubert si accanisce sui gusti letterari di Emma che ci stupisce, quasi che quelli fossero i veri peccati da condannare e tutto il resto non fosse che un risultato di quelle letture.

Emma amava «le donne illustri o sfortunate, come Giovanna d'Arco, Eloisa, Agnès Sorel, la bella Ferronière, Clemence Isaura, per lei queste donne si levavano come delle comete nella immensità tenebrosa della storia».

Le collegiali usavano allora nascondere sotto i cuscini dei libretti rilegati in *satin* firmati da visconti e da viscontesse. «Emma fremeva sollevando col fiato il foglio di carta di seta delle incisioni, che si levava piegato a metà e poi ricadeva dolcemente contro la pagina. Vi si vedeva, appoggiato alla balaustra di un balcone, un giovane uomo dal corto mantello abbracciare una giovane in abito bianco che portava una borsa alla cintura. Oppure ecco le figure anonime di certe dame inglesi dai boccoli biondi che, sotto i cappelli di paglia rotondi, vi guardavano con gli occhi grandi e chiari.»

Le eroine di questi libri hanno sempre «una lagrima sulla guancia». O sono intente a sbaciucchiare delle «tortorelle attraverso le sbarre di una gabbia gotica». O meglio «sorridendo, con la testa piegata su una spalla, sfogliano una margherita con le dita affusolate». Non mancano i sultani «seduti sotto un bersò, tra le braccia di bellissime baiadere [...] i minareti tartari all'orizzonte e in primo piano delle rovine romane e dei cammelli accucciati».

E che dire della musica? «Nelle romanze che cantava Emma, non si parlava che di piccoli angeli dalle ali d'oro, di Madonne, di lagune, di gondolieri, pacifiche composizioni che le lasciavano intravvedere, attraverso le ingenuità dello stile e le imprudenze delle note, l'attraente fantasmagoria delle realtà sentimentali.»

Insomma, tutto quello che oggi chiameremmo kitsch, ciarpame culturale, resti rimasticati di vecchi miti aristocratici, macerie di filosofie a poco prezzo, orientalismo d'accatto.

L'ostinazione con cui Flaubert infierisce su questo guasto culturale è crudele, precisa, a volte notarile. I suoi elenchi seguitano per pagine e pagine, e ci ricordano un libro che scrisse anni dopo e che lasciò incompiuto, quel *Bouvard et Pécuchet* che voleva condensare in un volume tutte le immense corbellerie, le favolose ignoranze, le tumultuose aspirazioni alla cultura di due buoni a nulla, innamorati dei libri.

Quando morì la madre, «Emma pianse molto», racconta Flaubert. Ma subito dopo aggiunge, «nei primi giorni». Perché, dopo, il suo dolore avrà modo di stemperarsi nel gusto della rappresentazione. «Si fece fare un quadro funebre con i capelli della defunta e in una lettera che spedì ai Bertaux, tutta piena di riflessioni tristi sulla vita, chiese che la si seppellisse nella stessa tomba della madre.»

Il signor Rouault, allarmato, si mette subito in viaggio per andare a vedere se, per caso, la figlia non sia preda di una malattia nervosa, una «depressione» come si direbbe oggi. Ma Emma sta benissimo. E quando vede arrivare il padre, è tutta contenta perché la sua recita è riuscita: «si sentì arrivata, al primo colpo, a quel raro ideale di esistenza pallida a cui non giungono mai i cuori mediocri». Con rinnovato vigore «si lasciò scivolare nei meandri lamartiniani, ascoltò tutte le arpe sui laghi, tutti i canti dei cigni morenti, tutte le foglie che cadono, le vergini che salgono al cielo e la voce dell'Eterno che discorreva nelle valli».

Lamartine è oggetto di particolare antipatia da parte di Flaubert che lo considera manierato, lezioso e sentimentale, uno scrittore per signorine, per l'appunto. «L'ultima parola della stupidità pretenziosa» scrive a proposito di *Raphaël* (*2 maggio 1852*) in una lettera a Louise Colet.

«La quantità di emistichi prefabbricati, di versi a

parafrasi vuote, è incredibile in questo autore» scrive un anno dopo a proposito di un altro libro di Lamartine, *Jocelyn*, «quando si tratta di dipingere le cose volgari della vita, non ce la fa proprio [...] Una poesia detestabile, inane, senza respiro interiore. Quelle frasi lì non hanno muscoli né sangue. E che singolare visione dell'esistenza umana!» (*17 maggio 1853*)

Tutti questi giudizi Flaubert se li rimangiò quando al processo contro *Madame Bovary* Lamartine prese generosamente e pubblicamente le parti dello scrittore incriminato. «Mi ha sorpreso molto» scrive Gustave al fratello Achille, il 25 gennaio del '57, «non avrei mai creduto che il cantore di Elvira si appassionasse a Homais.»

Le recite di Emma hanno il pregio di durare poco. Poiché lei stessa è la prima a stufarsi. Dopo un po' anche i cigni morenti e le foglie cadute le danno la nausea. Ma, come succede a chi recita spesso, non trova tanto facile smettere di farlo senza perdere in credibilità. Perciò continuò la sua finzione, dice Flaubert, ma senza nessuna partecipazione al gioco, «per pura abitudine e vanità [...] Le suore del collegio, che avevano così bene presunto della sua vocazione, si accorsero, con grande stupore, che Mademoiselle Rouault sfuggiva alle loro cure».

Emma ora ha solo voglia di tornare a casa per dedicarsi «al comando dei domestici». Finché anche questo «comando» non le verrà a noia, naturalmente, e finirà per «rimpiangere il suo convento».

Ma questi sono, pari pari, i sentimenti di Flaubert che troviamo descritti nelle lettere: «È penoso ma sono sempre stato così: desidero continuamente quello che non ho, e non ne so godere quando ce l'ho, e così mi affliggo e mi spavento dei mali che verranno [...] Se ti perdessi diventerei pazzo. Così succede nell'incoerente incoerenza del cuore umano, nella natura dell'uomo. E io sono proprio un uomo, un uomo nel senso più volgare e più vero della parola, benché nella prevenzione del tuo amore tu mi creda qualcosa di più elevato.» (*7 dicembre 1846*)

Quando Charles si presenta alla fattoria Bertaux, Emma si considera già «una disillusa, una che non ha più niente da imparare e da provare».

Una ragazza «corrotta», come dice Flaubert, che non distingue più fra sentimento sincero e sentimento freddamente recitato, fra proiezioni febbrili di personaggi libreschi e persone vere. Suo unico piacere è provare quell'ebbrezza momentanea che dà «il mettere in scena la vita». La quale cosa, suggerisce Flaubert, non è un male in sé e per sé, ma lo diventa quando questa messa in scena è approssimativa e di cattivo gusto.

Père Rouault ha detto sì alla richiesta di matrimonio di Charles Bovary. Quanto a Emma, già sogna un'altra grandiosa teatralizzazione. Pur di uscire dalla casa del padre, pur di farsi protagonista di una storia diversa, da adulta, pur di levarsi dalle cure stancanti della fattoria, si immagina perfino innamorata di Charles.

«L'ansietà di una nuova condizione o forse l'irritazione causata dalla presenza di quell'uomo erano state sufficienti a farle credere di possedere quella passione meravigliosa che fino ad allora era rimasta come un grande uccello rosa che plana negli splendidi cieli della poesia.»

Emma sogna una magnifica cerimonia di nozze con fuochi notturni e danze nel buio. Per fortuna il padre glielo impedisce. E lei si deve accontentare di una grande tavolata con quarantatré invitati. Il vestito sarà sfarzoso e il pranzo durerà sedici ore.

L'occhio di Flaubert scruta maligno la cerimonia nuziale: «Charles [...] sembrava la vergine della vigilia, mentre Emma appariva fredda, padrona di sé», solo un poco esaltata come può apparire una professionista della scena sul più prestigioso dei palcoscenici.

La vita coniugale prende il suo ritmo, fatto di piccoli rituali noiosi che già dopo qualche mese cominciano a tediare la giovane sposa. La mattina Charles se ne va di casa molto presto montando la sua giumenta, dopo avere mandato un bacio alla moglie dalla strada. Emma risponde con un gesto vago e subito richiude la finestra visibilmente infastidita.

Mentre il marito è al lavoro lei rumina la sua infelicità. Già comincia a chiedersi perché mai si sia sposata. Le parole «felicità», «amore», «ebbrezza» su cui aveva sospirato e che le erano parse così belle nei romanzi sentimentali, ora le appaiono come «ingannevoli e prive di senso».

La vita coniugale si snoda nella prevedibilità più completa. La conversazione di Charles è «piatta come un marciapiede su cui le idee di tutti sfilavano nei loro abiti quotidiani».

Ma la cosa più grottesca è che Charles la ritiene «felice». E questa sicurezza non può non suscitare un rancore sordo nell'animo di Emma, che finisce per detestare la calma «così posata, la serena pesantezza» del giovane marito.

Perfino le effusioni sessuali sono diventate prevedibili, regolari, «egli l'amava a certe ore fisse. Era diventata una abitudine fra le altre, un dessert previsto in anticipo, dopo la monotonia della cena». Insomma «la noia filava come un ragno la sua tela nell'ombra» di casa Bovary.

Questa noia viene interrotta da un dono inatteso: un invito a una festa presso il marchese di Andervilliers alla Vaubyessard... Un invito che viene a spezzare la nebbia della vita coniugale come un raggio di sole. Finalmente l'inquietudine di Emma ha di che nutrirsi. Il castello è lussuoso, pieno di luci e di domestici in gran tenuta. Emma ammira ogni cosa estasiata, assaggia le prelibatezze che le vengono servite e nota che non aveva mai assaggiato delle granatine così squisite. Lo stesso zucchero in polvere le appare più bianco e più fine che altrove.

«Gli uomini [hanno] il colorito della ricchezza» lì al castello; «quel colorito messo in risalto dal biancore delle porcellane, dalle marezzature del raso, dalla vernice dei bei mobili, e tutto ciò che è dovuto alla buona salute mantenuta con una dieta moderata di cibi squisiti».

Il marchese di Andervilliers stesso la invita a un ballo. Emma vi si abbandona estasiata. Così la scopriamo provetta ballerina, graziosamente abbandonata fra le braccia del suo elegante cavaliere.

Ma anche in questa occasione Flaubert la guarda con ben poca simpatia. Mentre ci fa notare da una parte la grazia e la bellezza di lei, dall'altra ci mette in guardia contro il suo egoismo che, all'occasione, può trasformarsi in crudele insensibilità e perfino urtante aggressività.

Quando infatti Charles, nella sua timidità che ispira tenerezza, decide di fare un giro di ballo anche lui, Emma lo fulmina con uno sguardo di riprovazione feroce. Un medico che merita rispetto, gli dice con voce sibilante, non si butta in mezzo ai danzatori. E lui, mortificato, se ne torna mogio mogio alla sua sedia, non osando contraddirla.

Più tardi Charles si avvicinerà a Emma con un gesto di affetto, contento che lei si diverta e abbia l'aria così felice. Ma Emma quasi non lo riconosce, lo caccia via brutalmente dicendogli «levati che mi gualcisci il vestito».

Tornando a casa Emma ricade, come è prevedibile, nella noia. La visita ai marchesi di Andervilliers ha lasciato un «buco nella sua vita, alla maniera di quei crepacci che, in una sola notte, scava qualche volta la tempesta nella montagna».

Il suo vestito da festa è stato rinchiuso nell'armadio assieme alle scarpine di raso «da cui suola si era ingiallita al contatto con la cera scivolosa del parquet. Il suo cuore era come loro: allo strofinarsi con la ricchezza, vi era rimasta incollata sotto qualche cosa che non si sarebbe più cancellata».

Per consolarsi, Emma compra una carta topografica di Parigi e con la punta del dito si inventa delle passeggiate nella capitale. Contemporaneamente si abbona a delle riviste femminili dai nomi promettenti come «La corbeille» (Il canestro) e «Sylphe des salons» (La silfide dei salotti).

Flaubert era molto scrupoloso e si informava, prima di scrivere: «Sono due giorni che cerco di entrare nei sogni di una ragazzina» scrive in una lettera alla sua amante, Louise Colet, il 3 marzo del 1852: «navigo negli oceani lattiginosi della letteratura castellana fra trovatori e tocchi di velluto con piume bianche. Ricordami di parlartene. Tu potresti darmi, su questo, dei particolari precisi che mi mancano». Il che dimostra una sottile perfidia, come a dire: solo tu che sei esperta nelle piccole cose di cattivo gusto puoi darmi delle indicazioni sulle scelte di Emma.

E ancora: «Devo mettere la mia eroina in un ballo. Ma è da tanto tempo che non ne vedo uno che ciò mi richiede dei grandi sforzi di immaginazione. E poi è così comune, talmente detto e ridetto dappertutto. Sarà una meraviglia se riuscirò a evitare la volgarità». (A Louise, *2 maggio 1852*)

Emma non può fare a meno di seguire, anche se solo da lontano, «le serate all'opera, l'apertura di un nuovo negozio nel centro di Parigi, una corsa di cavalli, una riunione mondana, un nuovo spettacolo teatrale».

Non avendo niente da dire al marito arriva al punto di portarsi a tavola il libro o la rivista che sta leggendo, per poi voltare le pagine assorta mentre Charles mangia chiacchierando da solo.

«Più le cose erano vicine e più il suo pensiero se ne allontanava», ci spiega Flaubert, «tutto quello che le stava intorno: i bravi e noiosi abitanti di Tostes, le abitudini matrimoniali, la vita quotidiana di una piccola città di provincia, le sembravano irrilevanti e indegne di attenzione. I suoi occhi si rivolgevano pieni di speranza verso l'immenso paese della felicità e delle passioni.»

Emma confonde, nel suo desiderio, «la sensualità del lusso con le gioie del cuore, l'eleganza delle abitudini con le delicatezze del sentimento».

Come dire meglio le angustie di un cuore incapace di amore, fradicio di noia? Eppure la noia di Emma assomiglia in certi momenti, moltissimo, alla noia del suo autore come ci viene descritta nelle sue lettere. «Mi annoio della vita; di me, degli altri, di tutto. A forza di volontà ho finito per prendere l'abitudine al lavoro. Ma quando l'ho finito, tutta la noia torna a fior d'acqua come una carogna gonfia, mostrando il ventre verdastro e appestando l'aria che respiro.» (2 dicembre 1846)

Oppure: «Che triste domenica ho passato ieri. Tu sei allegra» scriveva a Louise il 14 settembre 1846, «non provi queste nausee da noia che ti fanno desiderare la morte. Non porti dentro di te la noia della vita».

Emma Bovary aspetta un avvenimento, qualcosa che la distragga dalla monotonia insopportabile del matrimonio. Un altro invito dal marchese di Andervilliers alla Vaubyessard? forse; ma forse anche qualcos'altro. Che cosa? Intanto le giornate trascorrono grigie, tutte uguali e lei, che da principio aveva preso l'abitudine, quando era sola, di mettersi al pianoforte, ora si chiede: «A che serve che io suoni se nessuno mi ascolta?». E così il pianoforte resterà sempre più muto.

Emma smette perfino di leggere romanzi d'amore. Piano piano si lascia andare, anche fisicamente. Non si occupa più della casa né della sua toletta. Trascorre intere giornate in camera da letto, stretta nella sua vestaglia, con addosso «delle brutte calze di cotone grigio». Diventa capricciosa e imprevedibile, «un giorno beve solo latte, un altro giorno solo tè».

Perché le altre sì e lei no? Questo è il pensiero che l'assilla. «Perché la marchesa di Andervilliers che ha il corpo più pesante del suo, dei modi più comuni», possiede cavalli e servitori, mentre lei si deve accontentare di questo buco di provincia? «Dell'ingiustizia rimproverava il Signore» che l'aveva privata di tutto lasciandole però il sentimento dei suoi appetiti mai appagati.

Non sono questi anche i sentimenti rancorosi del Demone meschino di Sologub? Fra lui ed Emma ci sono delle somiglianze, sono in qualche modo cugini. Ma mentre Sologub ci presenta il suo eroe come francamente disprezzabile e lontano da lui, Flaubert ci racconta della sua Emma come di una creatura spregevole sì, ma anche amata, o per lo meno «subita», troppo a fondo conosciuta ed esecrata per esserne stato in qualche modo influenzato. Tanto da confondersi con lei, da credersi suo fratello, suo uguale.

Emma è travolta dall'invidia, come il Demone meschino, ma non fa niente per soddisfare la sua avidità. «Piange invidiando le esistenze tumultuose, gli insolenti piaceri, e tutte quelle perdizioni che non conosceva ma che dovevano pur esserci.»

Diventa pallida e prende a soffrire di palpitazioni. Il marito, sempre premuroso e innamorato, le somministra della valeriana e le consiglia bagni di canfora. Ma tutto ciò che si cercava di fare per lei «sembrava irritarla ancora di più».

Uno dei suoi piccoli piaceri segreti era quello di buttarsi sulle braccia mezza bottiglia di acqua di Colonia.

Charles arriva a pensare che sia la cattiva influenza del luogo dove abitano a farle quell'effetto. Si chiede se non sia il caso di andare a stabilirsi altrove. Nel frattempo Emma ha preso l'abitudine di bere dell'aceto per dimagrire e le è venuta «una piccola tosse secca che la consuma e [ha perso] completamente l'appetito».

Quando Charles ed Emma Bovary partono per Yonville, Emma è incinta. Ma non è tanto questa novità ad esaltarla, quanto l'idea di un cambiamento purché sia: delle facce nuove, una casa nuova, e chissà quali possibili incontri, anche se ancora del tutto vaghi e letterari.

Per il giovane medico questo cambiamento di sede costituisce un serio danno. Perderà i pochi clienti che ha conquistato con fatica, dovrà ricominciare tutto da capo. Ma il suo amore per la moglie è generoso e privo di dubbi. Se a Emma fa male quel clima si andrà da un'altra parte. Il mestiere, la carriera vengono dopo la serenità e la salute della persona amata. Per fortuna ha trovato questo posto di medico condotto a otto leghe da Rouen, quindi una zona meno isolata e solitaria di Tostes.

A Yonville, aspettando di sistemarsi in una nuova casa, prendono delle stanze in una locanda. Lì incontrano un giovanotto biondo e di bell'aspetto che attira subito l'attenzione di Emma. Si chiama Léon e fa il «giovane di studio» presso un notaio.

Ed ecco che ci accingiamo a entrare nel vivo del tema centrale del libro: l'adulterio. Che cosa ne pensa Flaubert? La risposta non è facile. Da una parte sembra disgustato dalla demonizzazione cattolica e borghese dell'adulterio femminile. Per una donna giovane e bella, sposata male a un uomo inetto e poco sensuale, divorata dalla noia, che cosa ci può essere di male nel sognare l'amore e poi, quando esso si presenta, nel viverlo pienamente?

Dall'altra, però, sembra già stufo prima di cominciare a parlarne, della altrettanto insopportabile retorica degli amanti che scambiano il loro ombelico per l'universo e coprono il loro desiderio sessuale con frasi mistificatorie e piene di vezzi.

Charles Bovary ha tutte le caratteristiche di un marito che, escludendo dalla convivenza l'imprevisto e un minimo di schermaglia sessuale, mette in conto il tradimento della moglie, anche se inconsapevolmente.

Purché non lo venga a sapere, sembra suggerire la sua indulgenza cieca e a momenti perfino comica, purché non lo si costringa a scegliere!

Lui sa di essere noioso e poco desiderabile, ma sa anche di non volere perdere la moglie di cui è innamorato. La sua idea del matrimonio è semplice e pigra come è semplice e pigro il suo carattere, che si accontenta di poco e vede le rose lì dove ci sono solo spine.

Charles Bovary è osservato, anche qui, da Flaubert, con sotterranea simpatia, sebbene gli dia del bestione ogni cinque minuti; le ragioni della sua indulgenza pescano nel grande pozzo dell'amore. Se pecca di viltà, Charles non è mai spinto né da meschinità né da tornaconto. È davvero generoso, perché vuole il bene, ma sinceramente, della persona che ama. Tanto da non accorgersi dei suoi errori, delle sue insofferenze, delle sue menzogne. È un bene materno il suo, un bene ignaro e assoluto, che tende a coprire, a giustificare, a proteggere la sua amata come una figlia prediletta.

Ed Emma? Emma, che all'inizio sembra suscitare la solidarietà dell'autore, tanto da spingerlo a giustificare le voglie più segrete, le scontentezze più profonde del suo personaggio; Emma, il cui desiderio di evasione sembra discolpato dalla pedestre goffaggine del marito, dall'uggia di una vita di provincia senza sbocchi, dalla sua particolare sensibilità al bello, cosa pensa e come sente Emma secondo il suo autore?

Qui si compie il miracolo di Flaubert: giustificare l'adulterio condannando l'adultera. Comprendere le ragioni di una vita povera e noiosa, condannando ferocemente chi di quella vita non sa fare tesoro, chi, come Emma, si abbevera di letture insulse e sogni irrealizzabili.

Esattamente il contrario di quello che fa la Chiesa cattolica che condanna il peccato e indulge verso il peccatore, si mostra severa verso la trasgressione del principio e cede al singolo trasgressore. Il quale, con umiltà, riconosce la sua colpa, per poi magari ricominciare da capo lasciando salva la norma.

Se c'è qualcosa da condannare in un adulterio, ci fa capire Flaubert, non sta nel peccato della carne, ma nella mancanza di fantasia e nella ipocrisia di un comportamento fatto di piccoli sotterfugi e sinistre bugie.

Anche nella vita, d'altronde, l'autore ha le stesse reazioni. Non è l'adulterio di Louise Colet che, pur essendo sposata a Hippolyte Colet, si sceglieva gli amanti con libertà, a indignarlo. Ma detestava il fatto che lei si lasciasse guidare nella sua scelta amorosa da una ammirazione un poco *naïve* e manierata per i letterati e i filosofi alla moda piuttosto che da una vera attrazione dei sensi.

D'altra parte, Flaubert non era il tipo che dicesse le cose come stavano per quanto riguardava gli affetti. Per tutta la vita si è preoccupato di nascondere alla madre i suoi sentimenti per altre donne e l'ha fatto usando tranquillamente la menzogna, i sotterfugi, gli inganni più elementari.

Ma torniamo a Emma che, davanti al camino della locanda, la sera chiacchiera fino a tardi col giovane *clerc*. È un momento felice per lei, presa dalle nuove gioie del discreto corteggiamento di Léon e dalla gravidanza che si accompagna ai soliti sogni mistificatori:

sarà un figlio, si dice, «sarà forte e bruno», sarà speciale, sarà un cherubino, si chiamerà Georges e si prenderà al posto suo tutte le rivincite.

Ma Emma, ci dice Flaubert, è incapace di accontentarsi. La sua natura, complicata da una cultura sistematicamente falsificatoria, la porta a desiderare sempre qualcosa d'altro, di irraggiungibile, di lontano, di fittizio.

Questo carattere, però, lo scopriamo dalle lettere, appartiene in parte anche all'autore. Anche a lui ripugna il presente, come se, mentre lo vive, lo vedesse già trasformato in passato. Anche lui, mentre sta godendo di una cosa, ne agogna un'altra.

Sono sentimenti molto umani, in cui tutti ci riconosciamo, per lo meno in parte. Ma Flaubert se ne cruccia come di una caratteristica da condannare, e duramente, anche se poi, in certi momenti, sembra addirittura compiacersene. Così scrive in una lettera a Louise: «Mi sembra che siano passati dieci anni da quando eravamo a Mantes. È lontano, lontano, questo ricordo; mi appare già in una lontananza splendida e triste, oscillante in un vago colore insieme amaro e ardente. È bello, nella mia testa, come un tramonto sulla neve. La neve è la mia vita di adesso, il sole che vi batte è il ricordo, il riflesso rosso brace che lo illumina». (*14 settembre 1846*)

Emma sembra veramente fare parte della struttura mentale di Flaubert. Solo che ha il torto di non sapersi guardare e giudicare come fa lui; di non sapere costruire con le proprie debolezze quella originale architettura linguistica che sola può riscattarne il disordine. Emma si nutre di libri mediocri e quindi le sue scontentezze non sono mai veramente tragiche, ma grottesche, non sono da compiangere ma da deridere.

«Un uomo per lo meno è libero» dice Emma, «un uomo può viaggiare per paesi e passioni, può superare gli ostacoli, affondare i denti nella felicità lontana. Una donna è continuamente impedita. Inerte e flessibile insieme, ha contro di sé le mollezze della carne con le dipendenze dalla legge. La sua volontà, come la veletta del suo cappello trattenuto da un cordoncino, palpita a tutti i venti, c'è sempre qualche desiderio che la trascina e qualche convenienza che la trattiene.»

Ci sembra di ascoltare i discorsi di Louise Colet, la donna che Flaubert ha amato per qualche mese di un amore sorpreso e appassionato ma con cui ha continuato, desiderandola e rifiutandola, lusingandola e offendendola, a corrispondere per ben sei anni (dal '46 al '48 e poi dal '51 all'inizio del '55).

Louise era una bella donna, di dieci anni più anziana di Flaubert. Quando si incontrano lui ne ha venticinque e lei trentacinque. Ha i capelli biondi folti e indossa un vestito azzurro, molto simile, se non uguale, al vestito di merinos celeste che porta Emma Bovary quando Charles la vede la prima volta e si innamora di lei. È una donna generosa, intelligente, estroversa, sensibile, piena di ambizioni sbagliate.

Dico sbagliate perché i suoi scritti (versi, commedie e romanzi) sono enfatici e privi di originalità, ma lei si voleva più creativa della Sand e di Madame de Lafayette messe insieme. Non aveva orecchio per la lingua scritta, anche se certamente molti suoi versi sono più che dignitosi e il suo libro sulle contadine intitolato *La paysanne* è un'opera di grande impegno e passione.

Quello che Flaubert detestava in Louise era un certo «ottimismo sociale» che la portava a buttarsi dalla parte delle cause perse con piglio donchisciottesco. Louise era colei che, esaltata dal ricordo di un famoso nonno rivoluzionario, Jean-Baptiste Le Blanc, ha voluto andare in Italia a incontrare Garibaldi sfidando le cannonate con coraggio ammirevole, che è andata a Londra a parlare con Mazzini rischiando l'arresto, mentre Flaubert i suoi viaggi li faceva inseguendo un suo sogno succoso (a volte anche fasullo) dell'Oriente più depravato e mistico.

Basti pensare alle sue visioni di deserti, cammelli, piume e palmizi che ricorrono in tante lettere. Quando poi si decide ad andare in quel suo sognato Oriente, ne rimane deluso anche se l'esaltazione non viene meno. Il congiungimento con la famosa sacerdotessa e prostituta Kuchuk Hânem gli procura la sifilide, tanto che al suo rientro a Croisset la madre quasi non lo riconosce: sta perdendo gran parte dei capelli, è ingrassato ed è rimasto privo di buona parte dei denti.

Flaubert inoltre accusa Louise di «approssimazione» nello scrivere. Lui che era così preciso e puntiglioso non riusciva a sopportare la faciloneria di lei: «Sei racconti in dieci giorni. Non capisco. [...] A me sembra di essere un vecchio acquedotto: tali e tante scorie aderiscono alle pareti del mio cervello che il pensiero vi scorre con estrema lentezza, stillando dalla mia penna goccia a goccia». (*29 novembre 1853*)

Si sa che per Flaubert la scrittura era «fatica»; si sa che poteva perdere giorni, mesi alla ricerca di una parola, di un giro di frase. Tanto che i fratelli Goncourt l'hanno spesso deriso nei loro diari: «Flaubert ha l'idolatria del ritmo» scrivevano nell'aprile del 1861. E ancora: «C'è un rimorso che avvelena la vita di Flaubert, avere messo in *Madame Bovary* due genitivi vicini». (*3 marzo 1862*)

D'altronde lui stesso si dichiarava «prigioniero» dello stile che lo torturava e lo tormentava. «Sono divorato dai paragoni, come lo si è dalle pulci e passo il mio tempo a schiacciarle; le mie frasi ne brulicano.» (*27 dicembre 1852*)

O ancora «il fatto è che nessuno ha mai avuto in mente uno stile più perfetto di quello che immagino io. Ma quanto all'esecuzione, quanta debolezza, quanta debolezza, mio Dio! Non mi pareva impossibile dare all'analisi psicologica la rapidità, la pulizia, di una narrazione puramente drammatica. Ciò non è mai stato tentato e sarebbe bello. Ci sono riuscito un poco? Non ne so niente. Al momento in cui sono non ho alcuna opinione precisa sul mio lavoro». (*22 luglio 1852*)

«Per ora ho un reumatismo al collo che mi dà un'aria ridicola, ma questo sarebbe poca cosa senza l'assillo dello stile che mi infastidisce più di tutte le malattie del mondo. Da tre mesi e mezzo scrivo dalla mattina alla sera senza mai smettere. Sono al limite dell'irritazione permanente, nell'impossibilità incessante in cui mi trovo di "vomitare". I borghesi avranno un bel dire, questa panna montata non è facile da sbattere. Più vado avanti e più scopro difficoltà a scrivere le cose più semplici e più intravvedo dei vuoti in quelle che avevo giudicato le cose migliori.» (*Fine novembre 1847*)

Louise intanto gli manda, oltre ai continui regali (dei guanti, un anello, un bastone, proprio nel gusto che ritroveremo in Emma) anche i libri che lei ha amato: *Cléopâtre* di Madame de Girardin per esempio, che Flaubert definisce «un polpettone ignobile», *Graziella* di Lamartine e altri libri alla moda.

«Sì, ci sono dei dettagli graziosi» dice di Lamartine rispondendo alle insistenze di Louise, «[...] due o tre belle immagini della natura come un lampo a intervalli che fa pensare ad una strizzata d'occhio, ma è tutto. E per parlare chiaro, lui la scopa o no? [...] Quanto sono belle queste storie d'amore in cui la cosa principale è talmente contornata di mistero che non si sa che pensare, e l'unione sessuale, essendo relegata sistematicamente nell'ombra, non si sa se e quando mangiano, quando bevono, pisciano, eccetera.» (*24 aprile 1852*)

E poi passa, paziente, ai consigli: «Non trascurate niente, fate, rifate e non abbandonate l'opera che quando avrete la convinzione di averla portata a tutta la perfezione che vi era possibile darle.» (*Fine novembre 1847*)

Louise, come si farebbe con un maestro di scuola,

gli manda i suoi scritti da correggere e lui, con pazienza infinita, passa i pomeriggi a sezionare le rime della sua discepola, tracciando dei grandi segni sulla carta. «Eccoti l'opera finita [*L'acropoli di Atene*]. Ci stiamo sopra dalle due, senza mai interromperci, salvo un'ora per cenare. Ho buona speranza. Andrà bene. Ti abbiamo semplificato il lavoro... Bouilhet ora sta cercando l'ultimo verso. È stato sublime... Tutto il pezzo è stato rifatto interamente da lui. E ha avuto un'idea che oserei dire dantesca e obeliscale [...] E ora per ricompensarci del nostro lavoro, che non è stato mediocre, fai subito ricopiare (per te e per noi) il tutto così come noi l'abbiamo corretto o rifatto [...] e poi vedremo se c'è ancora qualche cosa da ridire. L'insieme ci apparirà più chiaramente [...] I versi che avevano la faccia sporca, sono stati lavati e la ciurma dei mediocri espulsa senza pietà.» (*14 marzo 1852*)

Alle proteste di Louise che non riconosceva più i suoi versi, Flaubert risponde: «Quando un verso era cattivo noi ci siamo torturati per migliorarlo, ma senza cambiarlo, affinché si incastrasse col secondo, che conservavamo tale e quale [...] Ci siamo accaniti a togliere le cattive assonanze, a rifare apostrofi e accenti (cosa di cui non ti preoccupi abbastanza) e poi noi non davamo tutto questo come buono ma come indicativo. Attiravamo la tua attenzione sui passaggi evidentemente malriusciti [...] Così per esempio, al posto di questi versi: "La colonnade encore debout des Propylées" ci mettiamo "L'eternelle blancheur des longues Propylées". Mi sembra che non abbiamo avuto torto [...] Ci sono dei passaggi su cui Bouilhet e io non siamo stati d'accordo, ma ci siamo passati sopra e non abbiamo detto niente per paura di sbagliarci. Quanto agli altri pezzi siamo sempre stati spontanei nell'esclamare insieme: "no, no, questo non glielo passeremo"». (*14 marzo 1852*)

Ma Louise non è contenta, ribatte, difende i suoi

versi come sono stati scritti. Al che Flaubert, scocciato, risponde: «Il mio primo istinto è stato di rispedirti il tuo manoscritto senza dirti una parola, poiché le nostre osservazioni non ti servono a niente e poiché tu non vuoi (o non puoi) vederci chiaro. A che scopo domandare il nostro parere e romperci le scatole se poi da tutto questo ne risulta solo tempo perduto e recriminazioni da una parte e dall'altra? Ti confesso che se non mi trattenessi te ne direi molto di più, e che mi viene a questo proposito una grande tristezza: in che conto devo tenere la tua critica lusinghiera nei miei riguardi quando poi vedo che nelle tue opere fai degli errori così madornali? E se fosse per difendere delle eccentricità, dei tratti originali, ancora ancora, ma no, sono sempre banalità quelle che tu difendi, sciocchezze che nuociono al tuo pensiero, cattive assonanze e giri di frasi convenzionali. Ti accanisci su delle miserie. Quando ti dico che "sardoine" è la parola francese per "sardonix", che è latina, tu mi rispondi che fa pensare a "sardina" [...] Ah se tu avessi scritto *Melaenis*, allora sì che avremmo avuto della scienza. Nella tua rabbia di correggere le nostre correzioni, aggiungi solo errori: l'ombrello di seta, ma i greci non conoscevano la seta o era talmente rara che era come se non la conoscessero». E di un racconto su una donna che muore tra le braccia del suo violentatore, Flaubert scrive indignato: «Ma no, non si può scrivere così! È indecente. D'altronde dov'è la donna violentata che ne sia morta?». (*11 marzo 1853*) Mescolando così, con una certa presunzione maschile, l'insegnamento psicologico a quello tecnico-stilistico.

Da questa lettera viene fuori una strana situazione: Louise Colet, l'amata, che se ne sta lontana e viene pesantemente redarguita per il suo modo di scrivere. Louis Bouilhet e Gustave Flaubert che assieme, a Croisset, passano ore a correggere i testi di Louise mescolando severità professionale a crudeltà cameratesca. Sembra di vederli tutti e due chini sui fogli a pescare con accanimento nei versi un poco maldestri di Louise per «fargliela pagare».

Quello che non si capisce è la cecità di Louise. Come non sentire la malevolenza dei due amici che se la ridono alle sue spalle e, appena possono, scrivono peste e corna di lei? È vero che non andavano a dirglielo ma nelle loro lettere c'è di che indovinare un sentimento che, pur non detto chiaramente, è riconoscibilissimo.

«Hai sgranchito il tuo mostruoso motore? (motore = macchina di guerra, strumento di piacere),» scrive Flaubert a Louis Bouilhet. «Su Edma o sulla Blanchecotte? O su tutte e due? Non importa, non hai delle bellezze nel tuo harem... (è vero che sono tutte e due un po' piccanti). Quella Blanchecotte sarà una tigna. È una donna appassionata, stai attento [...] è certamente più saggio ricorrere alla vecchia masturbazione [...] Dimentichi Ludovica, faresti male a non frequentarla, è una che può farti sparare dei colpi migliori che la Musa [Louise Colet], *inter nos*. E a questo proposito parliamo di lei. Lo sai che nella sua penultima lettera mi insinuava e perfino mi diceva che tu potresti fra non molto abbandonarmi, o per lo meno "un giorno preferire altri amici" e faceva dei grandi elogi di Guérard che tu ameresti "ogni giorno di più" perché si occuperebbe, lui per lo meno, del "materiale della vita"? (per carità non dire una parola di tutto questo)! Ero così indignato che mi sono trattenuto dallo scriverle. Avrei risposto con troppe ingiurie. Ho trovato la furbizia della retorica troppo forte. E se fosse in buona fede che dice tutto questo, povera donna?... L'ho solo rimessa un poco al suo posto, ridendo, ecco tutto. Ma che dici di questo culo di donna che viene a mettersi fra noi due? [...] Mi rattrista molto questa povera Musa. Non so che farne [...] Come pensi che possa finire? La sento stanca di me. Per la sua tranquillità intima è da augurarsi che mi molli lei. Ha vent'anni dal punto di vista del sentimento e io ne ho sessanta (dovresti studiarci un po', su questo argomento).» (*8 dicembre 1853*)

Ma Louise, come Emma, ha l'arte di non vedere. Non vedeva e non capiva che il suo Gustave, pur non avendo il coraggio di piantarla, era stufo marcio e sperava che fosse lei a prendere l'iniziativa. Non vedeva che i due uomini avevano una intimità che la escludeva, nonostante la complicazione dei rapporti epistolari a tre.

«Tu mi ami enormemente» scrive Gustave a Louise il 14 dicembre '53, «moltissimo, più di quanto sia mai stato e sarò mai amato [...] Ma tu mi ami sempre con le stesse lagne [...] Ti irriti per uno spostamento, per una partenza, per una conoscenza cui vado a far visita e credi che questo mi faccia arrabbiare? No, no. Tutto ciò mi addolora e mi avvilisce per te [...] Ascolta Bouilhet. È un grand'uomo il quale non solo sa scrivere i suoi versi, ma ha del giudizio, come dicono i borghesi, cosa che manca di solito ai borghesi. E anche ai poeti.»

«Tu piangi quando sei sola, povera amica. Ma no, non piangere; evoca la compagnia delle opere da scrivere, ripensa alle figure eterne [...] Gli uomini, in effetti, vogliono sempre farsi amare anche quando non amano affatto. Io mi sono augurato invece qualche volta che tu mi amassi di meno, l'ho fatto nei momenti in cui ti amavo di più, quando ti vedevo soffrire per causa mia.» (*29 novembre 1853*)

«Tu ami l'esistenza, tu sei una pagana e una meridionale: tu rispetti le passioni e aspiri alla felicità [...] Io la detesto, la vita – sono un cattolico –. Ho in cuore qualcosa del verde gocciolio delle cattedrali normanne [...] come puoi pensare che un uomo abbrutito dall'arte come sono io, continuamente affamato di un ideale che non raggiunge mai [...] come vuoi che quest'uomo ami con un cuore di venti anni, e come vuoi che abbia quella ingenuità delle passioni che ne è il fiore?» (*14 dicembre 1853*)

«Maledizione alla famiglia che rammollisce i cuori dei coraggiosi, che spinge a ogni viltà, a tutte le concessioni, e che ci inzuppa in un oceano di latticini e di lagrime!» (*5 ottobre 1855*)

Come dire più chiaramente la sua ripugnanza per ogni consuetudine amorosa, per ogni legame prolungato, per ogni istituzionalizzazione dell'amore? Le donne che gli piacevano erano, o prostitute (quante volte si è scoperto felice nei bordelli con i suoi amici!), o donne sposate con cui poteva scambiare solo qualche parola clandestina come pare facesse con Elisa Schlésinger a Trouville.

Louise Colet invece gli appare come l'eccezione, colei che arriva a rompere una tradizione da scapolo di provincia. Ma gli viene presto a noia, però non riesce, proprio perché non è né una prostituta né una adultera clandestina, a lasciarla brutalmente. Perciò trascina questa relazione, fatta di sporadici, rari incontri in una zona neutra, che non sia la sua casa di Croisset e non sia la casa di Louise a Parigi.

La vita emotiva e spirituale, il gioco dei sensi, lo scambio delle idee, si svolgeva altrove, presso gli amici, i giovanotti innamorati della letteratura o nelle avventure di viaggio.

Vale qui la pena di riportare una lettera a lungo censurata nella *Correspondance* ufficiale, che può aiutarci a capire il desiderio di «androginia» di Flaubert.

«Questa mattina, povero e caro vecchio» scrive a Louis Bouilhet il 15 gennaio 1850, «ho ricevuto la tua casta e lunga lettera tanto desiderata. Mi ha sconvolto fino alle viscere. Mi sono "bagnato". Come penso a te, accidenti, inestimabile furfante! quante volte al giorno ti evoco e quante ti rimpiango [...] qui mi dedico molto allo studio della profumeria e alla creazione degli unguenti [...] Frequento spesso i bagni turchi. Ho divorato i tuoi versi del *Melaenis*. Vediamo, calmiamoci, chi non seppe limitarsi non seppe mai scrivere. Mi annoio da scorreggiare. Avrei voglia di riempirti la testa di pugni

[...] Non abbiamo ancora visto le danzatrici. Sono tutte nell'Alto Egitto, esiliate. I bei bordelli non esistono più neanche al Cairo. La gita che dovevamo fare sul Nilo con le danzatrici e i suonatori è saltata. D'altronde non c'è niente di perduto. In compenso abbiamo avuto i danzatori. Oh! oh! oh! [...] Immaginati due tipi curiosi passabilmente brutti, ma affascinanti per i loro sguardi di intenzionale corruzione e degradazione e per la femminilità dei movimenti. Hanno gli occhi dipinti con l'antimonio e sono vestiti da donna [...] portano dei larghi pantaloni e una giacca ricamata che scende fino all'epigastrio, mentre i pantaloni, al contrario, tenuti su da una enorme cintura di cachemire piegata in diverse volute iniziano al pube in modo che tutto il ventre, i reni, e l'inizio dei glutei sono messi a nudo attraverso una garza nera incollata sulla pelle [...] Essa si piega sulle anche come un'onda tenebrosa e trasparente ad ogni movimento che fanno. La musica continua sempre con lo stesso ritmo senza fermarsi, per ore di seguito [...]. È un gioco di muscoli. Quando il bacino si agita, tutto il resto del corpo è fermo. Quando, al contrario, è il petto che si muove, tutto il resto è immobile. Avanzano così verso di voi, le braccia tese, suonando dei tamburelli di rame e la faccia sotto il trucco e il sudore rimane inespressiva come quella di una statua. Con questo voglio dire che non sorridono mai. L'effetto risulta dalla gravità della faccia in opposizione ai movimenti lascivi del corpo. Qualche volta si rovesciano completamente sul dorso come una donna che si sdrai per farsi fottere, e si rialzano con un movimento delle reni simile a quello di un albero che si raddrizza una volta che è passato il vento. Nei saluti e negli inchini i loro grandi pantaloni rossi si gonfiano improvvisamente come dei palloni ovali, poi sembrano sciogliersi rovesciando l'aria che li riempie. Durante la danza, ogni tanto, il mezzano che li ha portati folleggia intorno a loro, baciandogli il ventre, il culo, le reni e dicendo delle facezie spinte per rendere piccante la cosa che d'altronde era già chiara di per sé. È troppo bello per essere eccitante. Dubito che le donne valgano gli uomini. La bruttezza di questi ultimi aggiunge molto all'arte. Mi sono beccato un'emicrania per il resto del giorno [...] Qui è molto ben visto. Si confessa la propria sodomia e se ne parla a tavola. Qualche volta lo si nega un po', ma tutti allora vi danno sulla voce e si finisce per confessare [...] Siccome viaggiamo per la nostra istruzione e siamo incaricati di una missione per il governo, ci siamo sentiti in dovere di abbandonarci a questo modo di eiaculare. L'occasione non si è ancora presentata ma noi la cerchiamo. È ai bagni che ciò si pratica. Ci si prenota il bagno (5 franchi) compresi i massaggiatori, la pipa, il caffè, la biancheria e si infila il proprio ragazzino in una delle sale [...] Saprai del resto che tutti i ragazzi dei bagni sono marchette. Questi ragazzi massaggiatori sono piuttosto gentili. Noi ne abbiamo avvistato uno in uno stabilimento molto vicino a casa nostra. [Il noi sta per lui e Maxime Du Camp, suo compagno di viaggio.] Ho fatto prenotare il bagno per me solo. Ci sono andato. Il tipo quel pomeriggio non c'era [...] Ero solo in fondo al bagno e guardavo il giorno morire attraverso le grosse lenti di vetro che costituiscono la cupola [...] L'acqua calda colava dappertutto. Steso come un vitello pensavo a un sacco di cose e i miei pori si dilatavano tutti [...] è una cosa voluttuosa e di una malinconia dolce. [...] Maxime si è fatto fare l'altro giorno nei quartieri deserti sotto le macerie e ha goduto molto. Ma basta con le lubricità [...].»

E a Bouilhet che gli scrive da Parigi, risponde qualche mese dopo: «A proposito, tu mi chiedi se poi ho consumato il fatto del bagno. Sì, e su un giovane vigoroso segnato dal vaiolo e che portava un enorme turbante bianco. Mi ha fatto ridere, ecco tutto. Ma ricomincerei. Perché una esperienza sia ben fatta bisogna che sia reiterata. Addio, vecchio con la piuma, a te sempre e adesso; come dice Antony, era bello?» (*2 giugno 1850*)

Una domenica mattina, verso le sei, Emma partorisce. «È una bambina» le dice contento Charles. Ma Emma non la guarda nemmeno, «voltò la testa e svenne».

La bambina viene chiamata Berthe. E dopo pochi giorni viene mandata a balia, come si usava allora, da una certa mère Rollet, moglie di un falegname, in una casa povera e sporca fuori Yonville. Esattamente come fa Louise con la sua bambina che, appena nata, manda a balia lontano da casa. Come d'altronde facevano tutte le madri benestanti dell'epoca.

Non si sa se l'antipatia che Emma prova istintivamente per la figlia sia dovuta al fatto che essa assomiglia al padre o perché è rimasta delusa dalla nascita di una femmina al posto di un maschio, come aveva sognato: «forte e bruno e che si chiamerà Georges».

Un mese dopo, mentre si accinge a fare una delle rare visite alla figlia lasciata a balia, incontra per la prima volta il bel Léon fuori di casa. Essi inciampano l'uno nell'altra e mentre lui tergiversa, preoccupato di comprometterla, lei lo prega di accompagnarla dalla neonata.

Camminano insieme, emozionati, quasi senza parlare, ciascuno preso dai propri sogni. Finché, alla casa della balia, la realtà si rovescerà loro addosso in tutto il suo squallore. «Al rumore del cancelletto, la donna apparve tenendo in braccio una lattante. Con l'altra

53

mano trascinava un povero bambino gracile coperto di croste sul viso, il figlio di un venditore di maglie di Rouen».

La donna li fa entrare, noncurante del disordine in cui tiene la casa. La bambina di Emma dorme per terra in un paniere di vimini. Emma la prende in braccio e si mette dolcemente a cullarla canticchiando una ninna-nanna. Léon, intanto, cammina su e giù per l'unica stanza chiedendosi come sia possibile che una bella si-gnora in vestito di nanchino possa trovarsi in mezzo a tutta quella miseria.

La bambina vomita sul colletto della madre che, in-dispettita, la rimette subito nella sua cesta per terra. La nutrice si affretta a pulirla rassicurandola che la mac-chia non si vedrà. Poi chiede alla signora Bovary di farle avere un poco di sapone, lei non ha i soldi per comprarlo. «Va bene, va bene» risponde Emma «arri-vederci, mère Rollet.»

La balia li accompagna alla porta lamentandosi di quanto le sia penoso alzarsi di notte per la bambina. Ma Emma non sembra ascoltarla. Ha fretta di allonta-narsi col suo Léon, via da quella stanza puzzolente e buia, dove abbandona la figlia senza un solo pensiero di pena per le condizioni in cui la lascia.

Ma Léon le sta vicino: Léon ha i riccioli biondi, le mani curate. Le unghie, poi, sono da signore, molto più lunghe di quanto si usi di solito a Yonville. Emma lo nota con ammirazione. Una delle grandi occupazioni del *clerc*, infatti, è proprio quella di curarsi le unghie, come dice maliziosamente Flaubert. «Egli teneva, a questo scopo, un coltellino speciale nel cassetto del suo scrittoio.»

Per Flaubert la cura delle unghie rivela sicuramente il massimo del compiacimento e della vanità borghese. Anche Emma, più tardi, la vedremo giudicata con molta severità per la sua assidua cura delle unghie.

Léon ed Emma tornano lentamente verso Yonville

lungo il bordo del fiumiciattolo che attraversa il paese. Mentre si sforzavano di «trovare delle frasi banali da scambiarsi, si sentivano invasi da uno stesso languore; era come un mormorio dell'anima, profondo, continuo, che dominava quello delle voci».

Si stabilisce fra Léon ed Emma una sorta di «associazione», un continuo «commercio di libri e di romanzi». È implicito che si tratta di romanzi di second'ordine, quel tipo di romanzi alla moda che Flaubert riteneva potessero piacere a Louise Colet.

Naturalmente Charles Bovary non si accorge di niente. Anzi, è contento di vedere che sua moglie ha ripreso i colori, che mangia di più, che ha perso quella tosse insistente e stizzosa, e si mostra più attenta e sorridente anche verso di lui.

Come lo sguardo di Charles è cieco ma affettuoso e tenero, quello di Emma per il marito è malevolo e crudele: «portava il cappello calcato sulle sopracciglia, le grosse labbra tremolavano e questo aggiungeva al suo viso qualcosa di stupido. Il dorso, quel dorso tranquillo, era irritante a vedersi ed Emma trovava, messa in mostra sulla redingote del marito, tutta la banalità del personaggio».

Lo sguardo che Emma volge sull'affettuoso Charles viene giudicato da Flaubert come «una sorta di voluttà depravata». Ben diverso lo sguardo che Emma rivolge a Léon, i cui occhi azzurri le erano parsi «più limpidi e più belli dei laghi di montagna in cui si riflette il cielo».

È il momento giusto per l'entrata in scena di Lheureux, il mercante di oggetti di lusso, grasso, molle, senza barba, con la faccia che sembra «tinta da un decotto di liquirizia chiara».

Educato fino all'ossequio, «stava sempre un po' curvo [...]» e intanto pensava a vendere «sciarpe algerine, pacchi di aghi inglesi, pantofole spagnole di paglia» e altre delizie.

Di queste «delizie» che Flaubert tratta con tanto disprezzo troviamo traccia nelle sue lettere, ma con accento diverso. «Confesso questa debolezza» scrive a Louise il 14 settembre del '46, raccontandole di avere ordinato a un mercante di Smirne delle cinture di seta. «Ci sono delle stupidaggini che per me sono cose serie. Addio, ti bacio sotto la pianta dei piedi.»

Un mese dopo, il 13 ottobre, le scrive: «Ho ricevuto le cinture di seta. Te ne porterò una [...] forse potrai metterla nei capelli come si faceva due anni fa con le reticelle algerine, insomma vedrai tu».

Nel romanzo è Emma a essere attratta dai piccoli oggetti di lusso orientale per il cui possesso comincerà a indebitarsi col mercante Lheureux.

Intanto la signora Bovary decide di togliere la figlia alla nutrice. Non per affetto, né per rimorso di averla lasciata in quella misera e sudicia casa, ma semplicemente perché, improvvisamente, le è venuto desiderio di mettersi a recitare la parte della madre solerte e premurosa.

Immediatamente Flaubert ci mette in guardia contro questa nuova trovata: «Essa dichiarava di adorare i bambini», scrive, «diceva che la figlia era la sua consolazione, la sua gioia, la sua follia e accompagnava le carezze con delle espressioni liriche che a qualcuno che non fosse di Yonville avrebbero rammentato la *Sachette de Notre-Dame de Paris*». Come dire: un'altra recita, un altro modello letterario, un'altra mistificazione.

Si tratta anche di una stoccata a Victor Hugo, tanto ammirato da Louise, e col quale pochi anni dopo avrebbe cominciato una corrispondenza clandestina. Le lettere ad Hugo, proprio come quelle che gli scriveva Louise, dovevano essere mandate a un certo indirizzo e poi da lì, cambiate di busta, rispedite. Solo che qui, con Hugo, non si tratterà di una clandestinità amorosa, ma politica. Hugo viveva esule in Inghilterra ed era proibito scrivergli.

Louise, che aveva un debole per i grandi scrittori,

l'aveva scovato nel suo nascondiglio inglese e aveva creato tutto un intrecciarsi di lettere che andavano da lei a Hugo, da Hugo a Flaubert, da Flaubert, sempre per vie traverse, a Hugo. «Per quanto sia pieno di cose brutte, affosserà tutti quanti. Ma che respiro, che respiro!» scriverà Flaubert di lui: «Azzardo qui una teoria che non oserei fare sentire a nessuno: i grandi uomini scrivono spesso molto male». (*25 settembre 1852*) Louise non solo li cercava i grandi scrittori, ma spesso ne diventava l'amante. Era un suo modo generoso ed epidermico di vivere la letteratura.

I suoi erano amori tempestosi, e spesso, bisogna dire, gli scrittori non si mostravano all'altezza del suo entusiasmo. Forse il filosofo Cousin è stato il più generoso, il più fedele, il più comprensivo, colui che insistentemente ha chiesto di sposarla e che, morendo, ha lasciato alla figlia Henriette una piccola rendita.

Poi ci sono stati Alfred de Musset, Alfred de Vigny, Champfleury, Leconte de Lisle, Alphonse Daudet e perfino Baudelaire che frequenterà, per un certo tempo, il suo salotto, per non parlare di Victor Hugo che le scrisse lettere più che affettuose. Ma Louise ci tiene a fare sapere, e lo scrive nei suoi *mémentos*, che il più amato è stato Flaubert.

L'atteggiamento di Gustave nei riguardi dei molti amori di Louise non era affatto di riprovazione. «Lo confesso, non sono mai stato geloso in vita mia.» Il suo pensiero sul sentimento di possesso si può racchiudere in questo passo del 13 marzo '54: «Qual è la donna, l'idea, il paese, l'oceano che si possa possedere, avere per sé, da soli? c'è sempre qualcuno che è passato prima di voi su quella superficie o in quelle profondità di cui voi vi credete i padroni. Se non è stato il corpo, è stata l'ombra, l'immagine di un corpo. Mille adulterii sognati si incrociano sotto il bacio che vi fa godere. Posso credere un poco alla verginità fisica, ma a quella morale no. E nel vero senso della parola tutti sono cornuti; anzi, arcicornuti».

Ciò che, nel comportamento di Louise, indispone Flaubert è quell'ingenuità da neofita, quel fanatismo da provinciale dello spirito che mostra nel suo collezionare uomini famosi.

Eppure Louise, nel suo entusiasmo, aveva una buona percezione delle qualità degli uomini che ammirava. È stata una delle prime a parlare di «straordinario talento» a proposito degli scritti di Flaubert quando ancora non erano stati pubblicati. «È un grande artista» scrive il 15 gennaio 1852 in una delle pagine del suo frammentario e occasionale diario che lei chiamava *mémentos*. E questo, nonostante che Maxime Du Camp andasse da lei a parlare male del suo migliore amico.

Flaubert le ha fatto leggere dei frammenti delle *Tentazioni di sant'Antonio*. Lei li ha trovati «bellissimi». Ma Maxime Du Camp, che lo stesso Flaubert le ha messo sulla strada perché ne condividesse l'amicizia, le scrive che «l'opera di Gustave non vale niente» e che sarebbe desolato se lui insistesse per farsi pubblicare sulla «Revue de Paris» (che Maxime dirigeva assieme con Gautier) perché non saprebbe cosa rispondergli.

«Eppure io lo amo» scrive Louise nel diario, «sono davvero sicura della superiorità di Maxime su Gustave? Per quanto riguarda l'intelletto mi sembra che Gustave sia superiore. Ma cosa sta succedendo? non ci capisco niente. Che influenza ha Maxime su Gustave? prima che Maxime andasse da lui a Croisset, Gustave mi scriveva delle lettere molto dolci. Sono in preda ai dubbi, che angoscia!» (*18 novembre 1851*)

E infine, dopo tante scortesie, tante «distrazioni» (Flaubert non si accorge della povertà in cui versa Louise, che non ha di che pagarsi le scarpe e non ha mai chiesto un soldo al suo amante), riflette a voce alta sul suo diario: «Gustave l'ho capito ormai, mi ama esclusivamente per lui, con profondo egoismo, per soddisfare i sensi e per leggermi le sue opere. Ma del mio piacere, della mia soddisfazione, gli importa ben poco». (*24 dicembre 1851*)

In effetti Flaubert era molto attratto dal corpo di Louise che aveva amato all'inizio con generosità, per poi tirarsi indietro, e dopo due anni di silenzio era tornato a cercarla e a farci l'amore, anche se con disdegno e insofferenza.

Ma qualcosa di molto forte, che l'aveva spinto verso di lei, per quanto poi abbia cercato di negarlo, c'era stato.

«Com'era dolce la pelle del tuo corpo nudo [...] Tu sei veramente la sola donna che ho amato e ho avuto. Prima di te andavo a calmare su alcune i desideri suscitati da altre. Tu mi hai fatto contraddire il mio sistema, il mio cuore, forse addirittura la mia stessa natura che, incompleta, cerca sempre l'incompleto.» (*6 o 7 agosto 1846*)

«Ti penso sempre», le scrive l'8-9 agosto del '46, l'anno del massimo slancio d'amore «sogno sempre la tua faccia, le tue spalle, il tuo collo bianco, il tuo sorriso, la tua voce appassionata, violenta e dolce insieme come un grido d'amore [...] Sei venuta tu e con la punta del dito hai smosso tutto. La vecchia feccia ha ribollito, il lago del mio cuore ha trasalito [...] Devo proprio amarti per dirti questo. Dimenticami se puoi, strappati l'anima con le due mani, camminaci sopra per cancellare l'impronta che vi ho lasciato. Su, non ti arrabbiare. No, ti bacio, ti faccio l'amore, sono pazzo. Se tu fossi qui ti morderei. Ne ho voglia. Io che sono schernito dalle donne per la mia freddezza, io che mi sono fatta la reputazione di non poterlo adoperare tanto poco lo adopero. [...] Io sarò il tuo desiderio, tu sarai il mio [...] Oh com'era bella la tua testa tutta pallida e fremente sotto i miei baci. Com'ero freddo io! Ero occupato solo a guardarti. Ero sorpreso, incantato.

«[...] Vado a rivedere le tue pantofole. Ah, loro non

mi lasceranno mai. Credo che le amo quanto amo te
[...] Profumano di verbena e di un odore di te che mi
gonfia l'anima.»

Ma nello stesso tempo è preso dalla paura dell'in-
tensità del sentimento cresciutogli in petto. «Vorrei
non averti mai conosciuta», scrive il 6 o 7 agosto '46,
«[...] e tuttavia il pensiero di te mi attira senza sosta [...]
Ogni sentimento che mi arriva nell'anima va in aceto
come il vino che si mette nei vasi troppo usati [...] Sei tu
che sei una bambina, sei tu fresca e nuova, e mi umilii
con la grandezza del tuo amore.»

E cerca di spiegare la sua ritrosia, cerca di razionalizzare la sua paura: «Non ho mai visto un bambino
senza pensare che sarebbe diventato vecchio, né una
culla senza pensare ad una tomba, la contemplazione di
una donna nuda mi fa pensare al suo scheletro [...] Se tu
non mi amassi ne morirei, ma mi ami e sono qui a pre-
garti di smettere [...] Mi dici di scriverti tutti i giorni [...]
Ebbene l'idea che tu vuoi una lettera ogni mattina mi
impedirà di scriverla [...] Lasciati amare a modo mio,
alla maniera del mio essere e con quella che tu chiami
la mia originalità. Non mi obbligare a niente. Farò
tutto. Comprendimi, non mi accusare.» (*6-7 agosto
1846*)

Senonché Louise, che non conosce mezze misure,
non si accontenterà affatto di «lasciarsi amare». Ma lo
amerà ferocemente, tirannicamente, tormentandolo
con continue richieste di affetto, di fedeltà, che fini-
ranno per stancare il già poco paziente Gustave.

Di questa Louise amata e temuta da Flaubert
Emma ha molte cose: la cieca impetuosità, l'ansia di vivere, una certa disinvoltura nell'amplesso: «Si spogliava
brutalmente strappando il laccio sottile del corsetto che
fischiava attorno ai suoi fianchi come una serpe che scivola. Andava sulla punta dei piedi nudi a vedere se la
porta era chiusa a chiave, poi, con un solo gesto, faceva
cadere tutti insieme i vestiti e, pallida, seria, senza par-

lare, si abbatteva sul petto di lui con un lungo fremito».

A tutto questo si aggiungano i gusti letterari, molto simili nella loro ingenua mancanza di senso critico. Anche se Louise, che certamente era più addentro alle questioni letterarie, come si conviene ad una scrittrice, faceva letture più nobili di quelle di Emma.

Ma oltre al carattere, ci sono nel libro alcune coincidenze e somiglianze di fatti biografici che offesero a morte Louise quando il libro fu pubblicato. Soprattutto dopo che, nella seconda stagione del loro amore, lui le aveva tanto parlato del romanzo che stava scrivendo come se non avesse niente a che fare con lei, mentre evidentemente stava covando il «tradimento», la spiava.

Prima di tutto il portasigarette d'argento e agata con la scritta «Amor nel cor» che Louise aveva regalato a Gustave nei primi tempi del loro amore e che lui aveva accolto con grandi espressioni di gioia e rassicurazioni d'amore. Nel romanzo il portasigarette trasformato in medaglione, con la stessa scritta incisa sopra, viene regalato da Emma a Rodolphe ed è presentato dall'autore come il regalo di pessimo gusto di una innamorata senza cervello.

Una risposta contenuta, conoscendo il carattere di Louise, è questa poesia che pubblicò in «Le monde illustré», nel gennaio del 1859: «La tabacchiera d'argento, finemente cesellata, / aveva incisi in oro fiori e frutti / sulla pietra dura era stampata la frase "Amor nel cor", / un verso toscano colmo di segreta emozione. / Era per lui, per lui, che lei, amò come un Dio / per lui insensibile ad ogni umano dolore, brutale con le donne. / Ahimè, ella era povera e aveva poco da dare / ma ogni regalo è sacro se possiede un'anima. / Bene! in un romanzo dallo stile d'un commesso viaggiatore / nauseante come un tossico vento / egli sbeffeggiò il regalo con una frase piatta, / ma si tenne il bel sigillo di agata».

E poi c'è il fazzoletto sporco di sangue (del naso di Louise) che Gustave conserva per anni dentro una specie di altarino degli oggetti-feticcio che gli ricordano il loro amore. Le pantofole, la tabacchiera, il ritratto con la ciocca di capelli, le lettere, l'anello, il fazzoletto, eccetera. Tutte cose che ritroviamo nel romanzo.

«Che buona idea che ho avuto di prendere le tue pantofole!» scrive Flaubert a Louise Colet la notte tra il 14 e il 15 agosto del '46, «se sapessi come le guardo! Le macchie di sangue sul fazzoletto ingialliscono, impallidiscono, è forse colpa loro? [...]; grazie per il ritratto, lo metterò con le pantofole.»

«Quando scende la sera e sono solo» confessa Flaubert «ben sicuro che non sarò disturbato, e che intorno a me tutti dormono, apro il cassetto del mobile di cui ti ho parlato e ne tiro fuori le mie reliquie che dispongo sulla tavola: le pantofoline, il fazzoletto, i tuoi capelli, il sacchetto con le tue lettere, le rileggo, le tocco.» (23 agosto 1846)

In Madame Bovary troviamo: Emma «diventava sempre più sentimentale: aveva voluto che si scambiassero le miniature, aveva preteso che si tagliassero a vicenda una ciocca di capelli, e ora domandava insistentemente un anello, un vero anello di matrimonio in segno di fede eterna».

E ancora: «Oltre al frustino dal pomo d'argento, Rodolphe aveva ricevuto un medaglione in cui era inciso il motto: "Amor nel cor"». I regali lo umiliavano. Ne rifiutò altri. Ma lei insisteva e Rodolphe finì per accettare, giudicandola in cuor suo tirannica e troppo invadente.

Ma non si fermano qui le somiglianze tra Emma e Louise. Oltre al fatto che tutte e due hanno una unica figlia, nei cui riguardi, che fosse Henriette, figlia di Louise, o Berthe, figlia di Emma, Flaubert mostrava un atteggiamento spesso freddamente critico, ci sono le tante osservazioni sul loro carattere, i loro scatti d'ira ingiustificati, le loro generosità improvvise ed eccessive, la loro assoluta mancanza di senso del risparmio, la tendenza a sognare cose inesistenti, il loro comportarsi da «regine» pur non disponendo di alcun patrimonio e alcuna considerazione sociale. Quel «voglio e non posso» che appartiene al carattere ormai proverbiale di Emma e che, con qualche variante, faceva parte dell'indole generosa e velleitaria di Louise.

Intanto, seguendo il filo della storia di Emma Bovary, la troviamo intenta a recitare, oltre alla parte della buona madre, anche quella della buona moglie, proprio nel momento in cui comincia a tradire il marito. Per una volta le piace dedicarsi a una rappresentazione che le guadagni il rispetto del pubblico. Le intenzioni, però, sono troppo scoperte per non risultare artefatte e manierate agli occhi di Flaubert. Charles, naturalmente, al suo solito, non si accorge di niente.

È talmente contento di trovare, rientrando dal lavoro, infreddolito dalla notte, «le pantofole al caldo vicino al camino, [...] le camicie [che] avevano, adesso, tutti i bottoni al loro posto», i cibi preparati e bene apparecchiati sulla tavola dalla padrona di casa, che è subito pronto ad attribuire quel cambiamento al miglioramento della salute di Emma.

«Ella era così triste e calma, così dolce e riservata, che presso di lei ci si sentiva presi da un incanto glaciale, come quando si rabbrividisce in chiesa al profumo dei fiori mescolato al freddo dei marmi.»

Tutta Yonville è «presa d'incanto» per la giovane signora Bovary. La gente dice di lei che «sarebbe stata a proprio agio anche in una sottoprefettura». «I borghesi ammiravano le sue economie, i clienti la sua gentilezza, i poveri la sua carità.»

Ma intendiamoci, non si pensi per un momento che ci possa essere qualcosa di sincero in tutto questo. «Ella era piena di cupidigia» si affretta a spiegarci Flaubert, «di rabbia e di odio. [Anche se] le sue labbra, così pudiche, non raccontavano il tormento del cuore.» Il fatto è che Emma è innamorata di Léon ma non osa dirselo. Si ritira in solitudine per potersi «dilettare con l'immagine di lui». Più si accorge di amarlo e più respinge questo amore. Ciò che la trattiene però, ci dice l'autore, non è il pudore o la lealtà verso il marito, ma «la pigrizia e la paura».

Emma siede davanti allo specchio e si ripete «io sono virtuosa», prendendo delle «pose rassegnate che la consolavano del sacrificio che credeva di fare».

Fra l'altro la indispettisce molto il fatto che il marito non abbia affatto l'aria di accorgersi del suo supplizio. «La convinzione che lui aveva di renderla felice le sembrava un insulto sciocco. Non era lui l'ostacolo alla sua gioia, la causa di tutte le sue miserie?» «La mediocrità domestica la spingeva a delle fantasie lussuose. La tenerezza coniugale a desiderii di adulterio.» «Avrebbe voluto che Charles la battesse per poterlo giustamente detestare, e così vendicarsi di lui.»

Qualche rara volta arriva a provare del disgusto per «le ipocrisie a cui è costretta». Sogna di scappare con Léon da qualche parte, per tentare un «nuovo destino», ma subito si apre nel suo animo «un abisso vago pieno di oscurità».

A un certo momento, Emma pensa di andare a trovare un prete, forse lui capirà e le darà qualche buon consiglio. Ma l'Abbé Bournisien non capisce la sua richiesta; «Come state?» le chiede. «Male» risponde lei, «soffro.» «Ebbene, anch'io» incalza lui, «questi primi caldi infiacchiscono, vero?» Poi le chiede se il marito non le somministri qualche medicina. «Ah, lui», risponde Emma e insiste «non sono rimedi terreni che mi occorrono, [...] vorrei sapere...» Ma il prete viene distratto da alcuni ragazzi che litigano. Lei tenta un'ultima volta di farsi ascoltare, di farsi capire, ma lui non ha orecchie per la signora, preso com'è dal problema di una vacca che gli hanno chiesto di curare perché la credono stregata. Il prete, d'altronde, non riesce a concepire che quando si è *bien chauffé et bien nourri* si possano provare delle pene.

Questo è uno dei pezzi più comici del romanzo. Un dialogo di teatro già pronto per il palcoscenico. Nel breve colloquio fra Emma e il reverendo Bournisien si consuma tutta l'incomprensione fra due classi, due mentalità, due religioni (pagana lei, umilmente cristiano lui), due culture, due sessi. Vengono presi in giro tutti e due, ma certamente c'è maggiore comprensione verso il prete che ha i piedi ben piantati a terra e la testa semplice, contro le pretese sciocche e presuntuose della giovane donna, per quanto la pena di lei sia presentata come reale e dolorosa.

Rientrando a casa, Emma vede la bambina che le va incontro traballando sulle gambucce stente e la scaccia in malo modo «allontanandola con la mano».

La bambina torna, imperterrita, ad abbracciare le ginocchia della madre. «Alzò i grandi occhi azzurri mentre un filo di saliva le colava dalle labbra sulla seta del grembiule.»

«Lasciami», grida la madre «completamente sconvolta.» Il viso le si è contratto in tale modo che la bambina, solo a guardarla, si mette a piangere. Ma ancora una volta, prova ad avvicinarsi timidamente alla madre. Al che Emma sbotta in un altro «lasciami» e allontana la figlia con furia mandandola a sbattere contro la borchia d'ottone del cassettone che le taglia la guancia. Ne esce del sangue. Emma si spaventa. «Madame Bovary si precipitò a tirarla su, strappò il cordone del campanello, chiamò la serva a tutta voce e prese a maledirsi.»

Finalmente, pensa il lettore, un moto spontaneo di pentimento, qualcosa di sincero, di immediato. Ma viene subito contraddetto dai fatti. Emma, rivolgendosi al marito che entra in quel momento, avendo sentito gli strilli della figlia dice fredda: «Guarda, mio caro, la piccola giocando si è ferita».

La scena è descritta in modo da mostrare quanto sia rivoltante il comportamento della giovane madre. Non solo getta per terra la figlia, che le viene incontro affettuosamente, con rudezza tale da ferirla ma, appena vede il marito, anziché dolersene, accusa la bambina di essersi fatta male da sola, con il tono freddo e controllato di una persona completamente priva di sensibilità morale.

E non è finito. Presa da inquietudine, Emma non scende a cena col marito. Resta vicina alla sua bambina. E ancora una volta il lettore pensa: forse si è ricreduta, forse è veramente dispiaciuta, forse qualcosa di umano, dopotutto, ce l'ha, questa donna.

Ma Flaubert lo smentisce immediatamente. La madre, seduta accanto alla figlia, matura dei pensieri niente affatto affettuosi ma sordidi e crudeli. «Ciò che di inquieto conservava si dissipò per gradi e si considerò stupida e troppo buona per essersi turbata dinnanzi a una cosa di così poco conto. Berthe, infatti, non singhiozzava più. Il suo respiro ora sollevava leggermente la coperta di cotone. Delle grosse lagrime si erano fermate agli angoli delle palpebre semichiuse che lasciavano intravvedere, fra le ciglia, due pupille pallide, infossate. Il cerotto, incollato sulla guancia, ne tirava obliquamente la pelle.»

Uno sguardo freddo, ostile che si conclude con questo pensiero davvero poco materno: «Strana questa bambina, è proprio brutta».

Intanto il giovane *clerc* Léon, stanco di amare senza risultato decide di cambiare città. Se Emma non ha ancora «ceduto», come si diceva allora, non è per virtù, ci tiene a precisare Flaubert, ma perché si è talmente incapoٍ.ita nel recitare la parte della buona moglie che le riesce difficile distogliersene. Ma nel suo cuore «regnano l'insofferenza e l'odio».

Léon parte e per Emma comincia un periodo «funebre». Il dolore si riversa «nella sua anima con delle urla dolci come fa il vento d'inverno dentro un castello abbandonato».

Léon nel ricordo le appare più alto, più bello, più soave. Decisamente si pente di non averlo amato con più abbandono. «Ebbe sete delle sue labbra. Le prese la voglia di correre da lui e dirgli "sono io, sono tua".» Ma nello stesso tempo l'imbarazzo la coglieva in anticipo «di fronte alla difficoltà dell'impresa e i suoi desiderii alimentati dal rimpianto non facevano che diventare più robusti».

Ciononostante «le fiamme si spensero, perché non erano sufficientemente alimentate, o perché, al contrario, l'alimentazione era stata eccessiva». L'amore a poco a poco muore sotto la coltre delle abitudini e «quel lucore d'incendio che imporporava il suo pallido cielo si coprì di ombre e si cancellò per gradi».

Nell'assopimento della coscienza, Emma «prese le ripugnanze verso il marito per delle aspirazioni verso l'amante, le bruciature dell'odio per dei ritorni di tenerezza. Ma poiché l'uragano soffiava tuttora e poiché la passione si era consumata fino alla cenere e nessun soccorso era arrivato, fu da ogni parte notte fonda ed ella si sentì perduta in un freddo orribile che la attraversava».

Per consolarsi, Emma indulge in acquisti che soddisfano la sua vanità: un inginocchiatoio gotico di legno pregiato, dei vasi antichi, delle vestaglie di seta. In un momento in cui in casa mancano i soldi per pagare la domestica «Emma spese ben quattordici franchi in un mese, per limoni con cui pulirsi le unghie», sottolinea Flaubert.

E in origine aveva scritto «25 franchi al mese di limoni per le unghie». Ma era stato corretto da Maxime

Du Camp che in una lettera inviatagli il 14 ottobre '56 gli scrive: «Venticinque franchi di limoni al mese? I limoni più grossi costano cinque soldi: dunque cento limoni per delle unghie, non è forse esagerato anche per Yonville?». E Flaubert corregge, giudizioso.

E poi continua: «Si fece venire da Rouen un vestito di cachemire blu»: ricordiamo che il blu è il colore preferito di Emma ma anche di Louise. Inoltre scelse da Lheureux «la più bella delle sciarpe orientali che poi si avvolgeva intorno alla vita, sopra la vestaglia da camera e, così combinata, si sdraiava sul canapè con un libro in mano».

Che le sciarpe di Lheureux siano le famose cinture di seta che il giovanotto Gustave si faceva venire da Smirne? Anche in casa Flaubert c'erano pochi soldi e, dopo la morte del padre, la famiglia, per sopravvivere, era costretta a piccole economie.

Perfino la pettinatura non soddisfa più Emma. Ora ha preso ad acconciarsi i capelli «alla cinese, coi ricci molli, raccolti in una treccia; si faceva la scriminatura da una parte e si arrotolava i capelli come un uomo».

Sappiamo quanto questo «acconciarsi da uomo» appartenesse al gusto erotico di Flaubert. Emma, che ha un corpo dolce e femminile, usa a volte, quasi per ripicca o per un atto di orgoglio sessuale, portare su di sé qualcosa di maschile: i capelli a torciglione, il corsetto da cacciatore, i pantaloncini alla turca, gli occhialetti al taschino, un cappello con la piuma.

E se, da una parte, questi piccoli tocchi maschili danno, secondo Flaubert, un che di perverso e affascinante al corpo morbido della giovane donna, dall'altra sono visti come il segno evidente di una profonda mancanza di ordine interiore.

Flaubert era certamente attratto dal maschile nel corpo femminile. Le lettere a Louise Colet sono piene di indicazioni in questo senso. «Vorrei che tu, nuova ermafrodita, mi dessi con il tuo corpo tutte le gioie della carne e con il tuo spirito quelle dell'anima» scrive il 28 settembre '46.

Ancora lo stesso giorno: «Quello che ti dispiace, forse giustamente, è che io ti tratti come un uomo e non come una donna. Cerca di usare qualcosa del tuo spirito nei tuoi rapporti con me. Vedrai che il tuo cuore, più tardi, gli sarà riconoscente per questa imparzialità [...] Avevo creduto, fin dall'inizio, che avrei trovato in te un carattere meno femminile, una concezione più universale della vita. Ma no, il cuore, il cuore, questo povero cuore, questo buon cuore, questo cuore affascinante con le sue eterne grazie, è sempre lì, anche fra le più elevate e le più grandi fra le donne».

E il 12 aprile '54: «Ho sempre tentato (ma mi sembra che ho fallito) di fare di te una ermafrodita sublime. Io ti voglio uomo fino all'altezza del ventre (a scendere). E invece mi pesi e mi turbi e ti guasti con l'elemento femminile».

Dopo la fine della storia con Louise, Flaubert ha tenuto una lunga corrispondenza con George Sand, la quale notoriamente si aggirava per Parigi vestita da uomo. Sartre, nell'*Idiota di famiglia* parla di una profonda tendenza alla femminilità che sarebbe stata presente in Flaubert e nelle sue scelte erotico-letterarie.

Ma l'agghindarsi da uomo, in Emma, è visto come un segno in più della sua millanteria. Anche in questo Emma è velleitaria, sembra dirci l'autore, perché non ha il coraggio di andare fino in fondo alle sue scelte ma gioca con esse, alludendo, civettando, senza alcun vero costrutto.

Per Emma i segni di uno «spirito» maschile sono solo un'altra rappresentazione perché non corrispondono a una benché minima presenza di quella che Flaubert chiama «una concezione universale della vita», mentre per George Sand sono accompagnati da una vera rivolta nei riguardi delle convenzioni sessuali.

Emma è come Louise, priva di giudizio e di riflessione. Quando ritiene di riflettere, cerca semplicemente di razionalizzare i suoi interessi più immediati, assolutamente incapace di quella imparzialità a cui il «cuore» avrebbe dovuto essere poi riconoscente. Il cuore di Louise è lì, con le sue «eterne grazie», le sue improvvise generosità, i suoi enfatici candori, e la condanna a una ripetuta, testarda, inesorabile femminilità, ovvero a una vita che si riconosce solo nei sentimenti «alati» e in una materna possessività.

Eppure Flaubert ha amato Louise Colet e non ha amato George Sand, anche se alla prima sfuggiva e alla seconda inviava lettere di stima che cominciavano con un «caro maestro».

È come se l'errore consistesse proprio nell'amore, in quel cedimento consenziente all'«inganno» perenne del corpo femminile come tale.

Emma, sembra dirci Flaubert, è amabile proprio perché incapace di una «concezione dell'universo», ma nello stesso tempo è disprezzabile per quella stessa mancanza, perché il suo cuore è cieco e le sue pretese ermafrodite non corrispondono a una reale «coltivazione dello spirito libero», cosa che invece riconoscerà in George Sand.

Emma Bovary, nella sua teatrale rinuncia all'amore, ha messo su agli angoli della bocca «quella immobile contrazione che piega la faccia delle vecchie zitelle e degli ambiziosi delusi» scrive Flaubert. È pallida, con la «pelle del naso tirata verso le narici, gli occhi che guardano in maniera vaga. Per essersi scoperta dei capelli grigi sulle tempie si mette a parlare in modo drammatico della vecchiaia». Si intravvede un'altra recita, un altro spettacolo.

Qualche volta addirittura sviene, la bella Emma. Ma ricordiamo che gli svenimenti facevano parte del linguaggio delle donne di allora, era un modo autolesionistico e melodrammatico di dichiarare il proprio dissenso. Un giorno Emma arriva a sputare sangue, con grande preoccupazione del marito che va a rifugiarsi nel suo studio e, «i gomiti puntati sul tavolo, pianse».

Anche in questo gesto di Charles Bovary ci potrebbe essere qualcosa di estremamente ridicolo, ma non riesce a farci ridere, poiché sentiamo che l'autore rispetta il sentimento genuino, profondo del suo personaggio. Charles può essere grossolano, vile, sciocco, insopportabile, ma non viene mai messa in dubbio la sincerità dei suoi affetti.

Per farsi aiutare a curarla, il dottor Bovary manda a chiamare la madre. Ma essa è ostile a Emma, sia per gelosia, sia per una più che giustificata diffidenza verso una nuora così mutevole e presa di sé. Comunque il verdetto della signora Bovary madre è: troppi romanzi d'amore, le rovinano l'umore e i sonni. Così viene deciso, da marito e suocera, che Emma non dovrà più tenere in mano un libro che non sia di preghiere.

Emma si assoggetta passivamente, sprofondando ancora di più nella sua recita di ubbidienza e remissività. Ormai non esce neanche più. Trascorre le giornate in camera da letto, avvolta in una delle sue vestaglie di seta, guardando dalla finestra la gente che passa per strada.

Ed è proprio attraverso quella finestra che le arriva la novità. Una mattina vede passare sotto casa un bel giovanotto vestito di velluto verde. C'è in lui qualcosa di risoluto e di splendente che ferma l'attenzione della giovane reclusa.

Si tratta di Rodolphe Boulanger, un giovane castellano che vive da solo in una proprietà fuori Yonville. Rodolphe viene a trovare il dottor Bovary per fare cavare del sangue a un suo servitore che sta male.

Quindi quel bel giovane è diretto proprio a casa sua, pensa Emma. E tutta la pigrizia sembra volatilizzarsi in un attimo. Contrariamente al solito, scenderà per assistere alla visita nello studio del marito e si prodigherà ad aiutarlo come farebbe una brava infermiera.

Rodolphe, che ha un occhio acuto per le bellezze femminili, nota subito «le belle braccia bianche» di lei. Anche Louise Colet aveva delle famose braccia bianche che Flaubert loda in alcune lettere, a cui fanno eco dei versi di Louis Bouilhet.

Il giovane castellano, rivelandosi un osservatore quasi clinico, fissa tutti i particolari del corpo di Emma: bei denti, occhi neri, piede *coquet*, modi da «parigina». «Dove l'avrà trovata questo babbeo di medico una moglie così carina e seducente?» si chiede.

Rodolphe ha trent'anni, è di temperamento brutale

e di intelligenza perspicace. Dai suoi modi si capisce che è abituato a una grande disinvoltura con le donne. Sicuro di sé, deciso e vanitoso, non ritiene che un corteggiamento possa durare più che tanto senza risultati concreti.

Mentre la osserva infatti fa dei calcoli precisi: «Si vede che è stanca del marito» pensa, «quel rimbambito con le unghie sporche e la barba di tre giorni. Mentre lui è in giro per clienti, lei resta a casa a rammendargli le calze. E come si annoia! È chiaro che smania per ballare la polka tutte le sere. Povera donna! Soffoca cercando l'amore come una carpa cerca l'acqua su un tavolo di cucina» [...]. «Con tre parole galanti ti adorerebbe, ne sono certo. Sarebbe tenero, sarebbe bello, ma come sbarazzarsene, dopo?»

Rodolphe ha come amante un'attrice, ma gli basta confrontarla con la ingenua freschezza di Emma per sentirsene subito stufo. «Oh l'avrò», si dice, «ed è pallida. Io adoro le donne pallide.»

Il signorotto accompagna la brutalità dei modi alla gentilezza del vestire. Porta camicie «di batista a maniche pieghettate, pantaloni larghi a righe, stivaletti di nanchino con rifiniture in cuoio verniciato». Erano così lucidi quegli stivali che «d'erba vi si rifletteva sopra».

Il modo per frequentare Emma lo trova subito e anche per isolarsi con lei. Propone al marito di lasciarla andare in campagna con lui, a cavallo «per svagarla un po'», quella povera donna pallida e malaticcia.

Il dottor Bovary non solo acconsente ma insiste presso Emma riluttante, perché accetti l'invito del giovane castellano. E lei, quasi controvoglia, si prepara un completo da amazzone.

È ottobre, Emma e Rodolphe partono a cavallo insieme per i boschi di Yonville. «Dei vapori si allungavano all'orizzonte contro il contorno delle colline.» Yonville diventa sempre più lontana alle loro spalle. Emma porta un cappello da uomo (ecco che torna il tema dell'androginia) fermato da un velo turchino. «La sua faccia si distingueva in una trasparenza bluastra come se nuotasse sotto dei flutti azzurri.»

Il colore azzurro e un qualche accessorio del vestire maschile sono per Flaubert, si è visto, motivi erotici: anche in *Salammbô* le bellissime plaghe, luoghi del desiderio, sono «misteriose e azzurrate». Salammbô stessa porterà il grande velo magico della dea Tanit che è per l'appunto cilestrino. E la dea è armata.

La bravura di Flaubert sta nel contagiarci con i suoi gusti che diventano, per grazia di stile, anche i nostri. Il lettore trova Emma particolarmente attraente proprio perché porta quel cappello da uomo e perché la sua faccia è in parte nascosta da un velo azzurro che provoca quell'effetto dolce e sensuale di acqua marina in movimento.

Rodolphe, al contrario di Léon, non aspetta neanche un minuto per metterle le mani addosso. Tanto che lei si spaventa e si tira indietro. E lui capisce che qui occorrono modi più garbati e parole suadenti. «Voi siete nella mia anima come una Madonna sul piedistallo» le sussurra all'orecchio, «siete in un posto elevato, solido e immacolato. Ma ho bisogno di voi per vivere, siate per me un'amica, una sorella, un angelo.»

Chiunque si accorgerebbe della falsità di quelle parole. Ma Emma, che si è nutrita per tanti anni di discorsi simili, non è in grado di riconoscerne la falsità. Improvvisamente è come se cadesse dentro uno dei suoi romanzi d'amore, in cui giovanotti svenevoli ed eroi baldanzosi usano con disinvoltura quel linguaggio. Ora non può che accettare Rodolphe. Il suo è, prima di tutto, un riconoscimento linguistico.

Rodolphe le cinge la vita col braccio. Lei cerca, ma flebilmente, di staccarsi. Lui diventa più insistente. Lei mormora: «Ho torto, ho torto, sono pazza ad ascoltarvi». Siamo in pieno dialogo da romanzo sentimentale. Una donna di mondo non può che rispondere così. E quando lui, fra il disperato e l'amareggiato dice: «Perché, Emma, perché?» lei non può che mormorare: «Oh Rodolphe!» e appoggiare la fronte sulla spalla di lui.

«Piegò indietro il collo bianco che si gonfiava di un sospiro e smarrita, piangendo, con un lungo fremito e nascondendosi la faccia, *elle s'abandonna.*»

Il silenzio del bosco copre i due corpi innamorati. «Qualcosa di dolce sembrava sgorgare dagli alberi, Emma sentiva il cuore battere e il sangue circolare nelle vene come un fiume di latte.»

Un raro momento lirico di questo romanzo crudele e duro. Un raro momento in cui i personaggi sono lasciati al loro piacere senza l'intervento satirico e moralista della voce dell'autore che commenta, seziona, analizza.

I due amanti tornano a Yonville trottando fianco a fianco. «Come era bella lei a cavallo, dritta, con la vita sottile, il ginocchio piegato sulla criniera della bestia, un poco colorita per l'aria presa nel rossore della sera.»

Sembra davvero un armistizio fra l'autore e il suo personaggio, un momento di contemplazione senza giudizio, senza ironia. La bellezza non fa parte della «religione» di Flaubert? quante volte nelle lettere parla della bellezza da gustare con spirito placato, come unica fonte di bene?

«Quello che amo sopra ogni cosa è la Forma» scrive in una lettera del 6 o 7 agosto '46, «purché sia bella e niente altro. Le donne che hanno il cuore troppo ardente e lo spirito troppo esclusivo non capiscono questa religione della Bellezza separata dal sentimento. A loro serve sempre una causa, uno scopo. Io ammiro altrettanto la chincaglieria che l'oro. La poesia della chincaglieria è persino superiore perché è triste. Per me al mondo ci sono solo i bei versi, le frasi ben tornite, armoniose, che cantano i bei tramonti, i bei chiari di luna, i quadri colorati, i marmi antichi e le teste dai tratti decisi. Oltre a ciò niente.»

Ma la contemplazione della bellezza di Emma non dura molto. Il moralista scalpita. E lo vedremo in azione nella scena immediatamente successiva.

Charles Bovary va incontro alla moglie, felice di vederla rifiorita e soddisfatta. Ma lei non lo degna di uno sguardo. Anzi, dopo essersi sbarazzata della sua presenza, sale in camera, vi si chiude dentro a chiave e si avvicina allo specchio in cui si contempla a lungo. «Mai aveva avuto occhi così grandi, così neri, così profondi. Qualche cosa di sottile diffuso per la sua persona la trasfigurava. "Ho un amante" si ripete "ho un amante".» Rallegrandosi a questa idea «come di una seconda pubertà che le era sopravvenuta».

Ma già si entra nel mondo scivoloso dei sogni fasulli e delle recite. «Sì, ella entrava in qualcosa di meraviglioso in cui tutto sarebbe stato passione, estasi, delizia. Un'immensità cilestrina la contornava, [...] l'esistenza quotidiana le pareva così lontana, in basso, in ombra, fra gli intervalli di queste altezze.»

Probabilmente la combinazione del celeste con l'indumento maschile come punta di seduzione deriva proprio dalla contraddizione implicita fra l'azzurro del cielo, luogo dei sentimenti puri e delle immagini fisse (le divinità, le icone, i gessi, i marmi), e dall'altra parte il capriccio, il travestimento, la perversità occhieggiante fra le pieghe di un indumento femminile.

Nella testa di Emma, come era da prevedere, si affollano le figure retoriche dell'amore libresco: una «legione di donne adultere si mise a cantare con voci di sorelle incantatrici. Finalmente realizzava il lungo sogno della sua giovinezza: considerarsi una di quelle innamorate che aveva tanto invidiato».

Ma quella di Emma non è solo un'estasi generosa, per quanto imbevuta di cattive letture. In lei echeggia anche «il sentimento della vendetta», come ci fa rilevare Flaubert. «Non aveva forse sofferto abbastanza? Ora trionfava l'amore.»

Da quella sera Emma e Rodolphe prendono a scriversi regolarmente tutti i giorni. Proprio come avevano fatto Gustave e Louise. Lei gli aveva chiesto, quasi esigendolo, «una lettera al giorno» e lui aveva detto che proprio quell'ingiunzione gli impediva di scriverle così spesso. Ma poi aveva ceduto; d'altronde lui amava scrivere lettere e si era messo a spedirle delle lunghe missive quasi quotidiane.

Emma, nel romanzo, lascia la sua lettera in fondo al giardino, in una fessura del muretto della terrazza. Rodolphe viene a prenderla e la sostituisce con una sua di cui Emma lamenta sempre la brevità. Anche Louise si lagnava della brevità delle lettere di Gustave, dopo i primi mesi in cui l'aveva inondata di carta.

La grande attrice ha cambiato ruolo, suggerisce Flaubert. Adesso Emma si accinge a recitare, con sussiego e abilità, quello dell'adultera che ha riconosciuto nello specchio e ha salutato con gioia vendicativa.

La sera Emma si infila nel letto del marito, finge di prendere sonno e quando è sicura che lui si sia addormentato, esce dal letto «palpitante, sorridente, seminuda» per andare a incontrare l'amante in fondo al giardino. Rodolphe l'avvolge nel suo largo mantello nero, la stringe forte a sé. E spesso non riesce a trattenersi dal fare delle allusioni volgari al marito di lei che dorme poco lontano.

Questa, forse, è la prima volta in tutto il romanzo che scopriamo Emma alle prese con un sentimento delicato. Anche la severità arcigna di Flaubert sembra riconoscere a questa donna, gravata di tutti i difetti possibili, forse un barlume, non di affetto, non di tenerezza, non di lealtà, ma di solidarietà coniugale.

Le facezie di Rodolphe sembrano turbarla per davvero. Perché prendersela con quel povero Charles che è così generoso da non sollevare mai un dubbio, un sospetto? Ma Flaubert è lì in piedi con la sua pipa e sembra scuotere la testa. Non illudetevi lettori, la solidarietà si trasforma in men che non si dica in esigenza rappresentativa. Emma non si preoccupa tanto del marito quanto della mancanza di pathos del momento. «Ella avrebbe voluto che Rodolphe si mostrasse più serio, più drammatico.» Insomma più che un'offesa alla persona di Charles sembra un'offesa ai cliché letterari dell'adulterio.

La cosa si ripete due giorni dopo. Quando Emma crede di sentire dei passi nel giardino e chiede a Rodolphe se ha con sé la pistola. «Perché, per difendermi da chi? da tuo marito? ah quel bamboccio» ridacchia lui e accompagna la frase con un gesto che significa: «Mi basterebbe un buffetto per metterlo fuori combattimento».

Emma sembra divisa fra l'ammirazione per «l'ardimento dell'amante» e la volgarità di quelle «parole che la scandalizzavano».

Ma l'indelicatezza di Rodolphe non le impedisce di diventare sempre più indiscreta e sentimentale. Una mattina presto è presa dalla subitanea idea di correre a vedere l'amante. E, senza minimamente pensare al pericolo di essere vista, si precipita da lui attraversando la campagna bagnata di brina, «solo per abbracciarlo al suo risveglio».

Poi pretende lo «scambio delle miniature». Esattamente come Louise. E nella sua, inserisce un ricciolo scuro. «Alle miniature seguono gli anelli, un vero anello però, di impegno eterno» dice lei. E subito dopo gli chiede della sua mamma. La quale è morta da vent'anni, osserva sarcastico Flaubert. Ma Emma non demorde e gli dedica dei versi come se fosse un bambino da poco rimasto orfano e gli sussurra guardando la luna: «Sono sicura che lassù tua madre e mia madre approvano il nostro amore».

La passione di Emma viene rivoltata come un calzino in tutti i suoi aspetti più fasulli e francamente ridicoli. Cieca come una talpa Emma non capisce assolutamente niente del carattere grossolano di Rodolphe e lo incalza con vezzi romantici, piccole moine da eroina di romanzo d'appendice. Si può essere più inopportuni di così? pare dirci Flaubert.

Infatti, dopo una serie di tali trovate da manuale dell'adulterio perfetto, Rodolphe comincia a essere francamente stufo. Ma come liberarsene? Eppure c'è sempre qualcosa che continua a tenerlo legato a lei. «Era così carina, aveva la pelle di un candore che non aveva mai visto.»

Anche Louise era «carina», e aveva la pelle candida, come continua a ripetere Flaubert nelle sue lettere. E certamente era attratto da lei, come Rodolphe da Emma, nonostante il fastidio che gli suscitavano i suoi manierismi.

«Tu vuoi che mi trascini ai tuoi piedi come se avessi quindici anni, che voli verso di te, che frema, che pianga persino, mi prometti il tuo ricordo come una vendetta», scrive Gustave a Louise il 21 gennaio del '47, solo dopo un anno che avevano cominciato a frequentarsi, e il 7 novembre dello stesso anno. «Amo la tua faccia e tutto il tuo essere mi è dolce! Ma, ma, sono stanco! Sono così annoiato, così radicalmente impotente a fare la felicità di chicchessia. Renderti felice! Ah, povera Louise, io rendere felice una donna! Non so proprio giocare con un bambino. Mia madre mi porta via la piccola [la nipote Caroline] appena la tocco, perché la faccio piangere. Ma lei è come te, vuole venire vicino a me e mi chiama.»

«Quell'amore senza libertinaggio» ci spiega Flaubert, a proposito di Rodolphe, «era per lui qualcosa di nuovo e tirandolo fuori dalle sue facili abitudini carezzava insieme il suo orgoglio e la sua sensualità.» «L'esaltazione di Emma che il suo buonsenso borghese sdegnava, gli sembrava in fondo al cuore graziosa perché si rivolgeva a lui. Sicuro di essere amato non si preoccupò più dei suoi modi, che cambiarono decisamente.» Emma Bovary reagisce, come al solito, in modo sbagliato. Non capendo l'uomo che ama, pensa di riconquistarlo con i sentimentalismi e le lamentele. Esattamente come Louise, che, alle freddezze e agli sgarbi di Gustave, risponde alternando le querimonie alle effusioni affettive.

«L'umiliazione di sentirsi debole si trasformava in un rancore che solo le voluttà temperavano. Non era attaccamento, era come una seduzione continua. Lui la soggiogava. E lei ne aveva quasi paura.» Come è ben osservato e ben detto il meccanismo della perdita della propria stima! Prima l'esaltazione e poi l'umiliazione, il rancore e quindi la freddezza del piacere ridotto a puro egoismo sessuale. Non c'è più fiducia, tenerezza, generosità, ma pura ricerca del godimento e volontà di potenza.

Si tengono d'occhio l'un l'altro aspettando il prossimo passo falso. Avete visto come fa presto l'amore, sembra commentare Flaubert, quando non c'è amicizia, a trasformarsi in abuso e paura, in lascivia e torpore?

Un giorno Emma riceve una lettera dal vecchio padre, il dolce Théodore Rouault che la ama e si preoccupa per lei, anche se da lontano. A Emma viene spontaneo di ricordare l'epoca in cui viveva con lui alla fattoria. «Che bei momenti, che abbondanza di illusioni!» le mette in bocca Flaubert. Ma cos'è che la rende così infelice oggi, dov'è la «catastrofe straordinaria che l'ha sconvolta»?

Quella sera, all'appuntamento con Rodolphe, Emma si mostra fredda, scostante. E lui, per vendetta, la punisce mancando a tre appuntamenti. A questo punto Emma comincia a pensare di avere sbagliato tutto. Perché non ha saputo amare il marito? si chiede in un momento di rara sincerità, perché non gli è stata fedele? Vuoi vedere, ci suggerisce ridacchiando Flaubert, che è attratta da una nuova «velleità di sacrificio teatrale?». L'occasione viene da un fatto nuovo che coinvolge il marito come medico. Homais, il farmacista del paese, propone al dottor Bovary di operare il piede equino del garzone del Leon d'oro, Hippolyte. Se lo guarirà, e non può che trattarsi di una operazione da poco, ne parleranno tutte le gazzette, lui diventerà famoso e così anche il farmacista. Per l'operazione gli farà da assistente, e tutti e due non mancheranno di essere ringraziati e glorificati da tutto il circondario.

Sarà un caso che il garzone vittima si chiami Hippolyte, come il marito di Louise Colet, l'eterno malato, il simbolo del sacrificio sull'altare delle ambizioni mondane e letterarie di Louise?

Emma pensa bene di appoggiare il progetto. Se sarà un successo ne guadagnerà anche la sua reputazione e, cosa non sgradevole, anche la sua fortuna materiale. «Essa non domandava che di appoggiarsi a qualcosa di più solido dell'amore» che in quel momento le appariva infido e pieno di minacce.

Come si sa, l'operazione fallisce miseramente. Hippolyte rischia di morire di cancrena, fra atroci dolori. E un dottore più esperto e, lui sì, davvero famoso, viene a Yonville ad amputare la gamba del povero garzone per salvarlo. Charles Bovary ne esce mortificato e vinto. Emma, nella sua egoistica ambizione, non glielo perdona, dimenticando di essere stata fra i sostenitori del progetto.

«Essa lo guardava; non divideva la sua umiliazione, ne provava un'altra: quella di avere pensato che un uomo simile potesse valere qualcosa, come se venti volte di già essa non avesse constatato la sua irrimediabile mediocrità.» Tutto ormai del marito la irrita: il suo modo di parlare, il suo modo di vestire, la sua faccia, le sue mani, il suo corpo intero. «Essa si pentiva, come di un crimine, della virtù passata e ciò che ne restava ancora crollava sotto i colpi furiosi del suo orgoglio.» Dobbiamo pensare che se il dottor Bovary avesse avuto uno strepitoso successo professionale Emma avrebbe rinunciato all'adulterio? Forse sì, ci dice Flaubert, ma non per ragioni nobili. Solo la nuova fama e quell'alone di stima che avrebbero accompagnato il signor dottore, potevano, lusingando la sua vanità, permetterle un altro gioco, un'altra recita, quella della moglie di un uomo rispettato nel suo mestiere, con buone amicizie sociali, denari e agi. Ma sarebbe stato comunque un artificio.

Una volta fallita l'impresa, invece, Emma non riesce a provare nessuna pietà per l'uomo che ha tentato, senza cattiveria, per pura dabbenaggine e debolezza nei confronti delle stupide ambizioni di Homais, l'esperimento chirurgico. Charles non conosce l'ambizione, a lui basterebbe dire, come fa Flaubert di se stesso, «mi sono scavato il mio buco e ci sto dentro attento che ci sia sempre la stessa temperatura». (Lettera a Louise del *26 agosto 1846*)

Ma Emma non sa distinguere. Per lei valgono soltanto le cose concrete e visibili. E quando queste mancano, manca perfino la più semplice delle comprensioni. Col marito si mostra spietata, feroce. «Essa si dilettava in tutte le ironie malvage dell'adulterio trionfante. Il ricordo del suo amante le sopravveniva con delle attrazioni vertiginose. Essa vi gettava la sua anima, presa da un entusiasmo tutto nuovo.»

Charles, in un momento di disperazione, le si avvicina per chiedere un poco di conforto. Ma lei si rivolta come una vipera «Lasciami!» grida rossa di collera. «Che hai, che hai?» chiede lui stupefatto e addolorato, «sai bene che ti amo», insiste mite, non capendo. «Basta!» urla lei con «un'aria terribile.» E se ne va sbattendo la porta. Charles si butta sulla poltrona chiedendosi il perché di quella veemenza. Sarà una malattia nervosa? Scioccamente non capisce, non intuisce quello che passa per la mente della moglie, non ne indovina l'inquietudine, i desideri mortificati. Ma, capirlo, significherebbe anche rinunciare a lei e questo Charles non può farlo. Sente di non riuscire a dominare il rapporto e preferisce lasciarsene guidare, dolcemente, ciecamente, ma senza malizia, senza meschinità, puntando tutto sulla presunta solidità di un matrimonio d'amore. Eppure, la voce di Emma, crudele, gli risuona nell'orecchio facendogli percepire intorno «qualcosa di funesto e di incomprensibile».

Quando Rodolphe si presenta la sera, in fondo al giardino, «trovò la sua amante che lo aspettava risoluta. Si abbracciarono e tutti i loro rancori si dissolsero come neve sotto il calore dei baci».

Emma ormai ha deciso: scapperà con Rodolphe. Quel marito non la merita, quel matrimonio la mortifica, la soffoca. Ne parla con Rodolphe, il quale non si mostra affatto entusiasta, ma, per il momento, fa buon viso a cattivo gioco. Emma, da questo momento, si considera una estranea in casa propria. Trascorre le giornate a limarsi le unghie, a pulirle col limone, cospargendosi il corpo di *cold cream*, profumando i fazzoletti e le camicie col *Patchouli*. «Si caricava di braccialetti, di anelli, di collane. Insomma preparava la sua persona come una cortigiana che attende il principe.»

Inoltre continua a indebitarsi e con ritmo crescente, prendendo a credito dal mercante Lheureux costosi regali per l'amante: solo per un frustino dal pomo d'argento dorato spende oltre duecentosettanta franchi, ci segnala Flaubert, pignolo. E poi vengono i guanti di camoscio, la tabacchiera d'argento, il famoso medaglione, eccetera.

Non è certo un caso che Flaubert mentre scriveva il suo romanzo, abbia preferito non farne mai leggere una riga a Louise Colet, con cui si era rappacificato dopo tre anni e mezzo di silenzio e con cui era tornato ad amoreggiare. Troppe cose potevano offendere Louise, troppe coincidenze, troppe somiglianze. Eppure Flaubert aveva l'abitudine di mostrare i suoi scritti a Louise. Non era stata una delle prime a leggere *Le tentazioni di sant'Antonio* quando ancora non si parlava di pubblicazione? Anche la prima versione dell'*Educazione sentimentale*, che è del '43, è passata per le mani di Louise. E bisogna dire che lei ha avuto sempre parole molto intelligenti e laudative per le opere di lui.

Flaubert, d'altronde, amava leggere i suoi scritti a più gente possibile. Sono rimasti famosi i suoi inviti a Croisset per letture che duravano dalle cinque alle sette ore e finivano nel mezzo della notte lasciando tutti disfatti.

«Flaubert ci invita a una grande lettura di *Salammbô*» scrivono i fratelli Goncourt nel loro diario il 6 maggio '61. «Dalle quattro alle sei Flaubert legge con una voce muggente e sonora che ci culla in un rumore simile a un vibrare di bronzi [...] Poi, dopo cena, dopo una fumata di pipa, la lettura riprende e noi andiamo, di lettura in riassunti di ciò che non legge, fino alla fine dell'ultimo capitolo che ha appena terminato: la scopata di Salammbô con Matho. Sono le due di mattina e noi ancora lì.»

Sono loro a raccontarci della ossessione di Flaubert per i libri di de Sade. «È incredibile, questo de Sade, lo si trova in tutti gli angoli di Flaubert, come un orizzonte.» (*10 aprile 1860*) «Visita di Flaubert. Ha veramente una fissazione per de Sade. Ne fa l'incarnazione dell'Antiphysis, e arriva a dire, in uno dei suoi migliori paradossi, che si tratta dell'ultima parola del cattolicesimo, l'odio del corpo.» (*9 aprile 1861*) «Passato la serata da Flaubert. C'era Bouilhet che ha un aspetto da bell'operaio. Meravigliose leggende sulle avarizie provinciali [...] Poi chiacchiere su Sade, al quale ritorna sempre, come affascinato, lo spirito di Flaubert.» (*29 gennaio 1860*)

Sono sempre loro, i fratelli Goncourt, a riferirci dei fenomeni che oggi chiameremmo «psicosomatici» di Flaubert durante la scrittura delle sue opere: «Gustave oggi ci ha raccontato che mentre scriveva l'avvelenamento di Madame Bovary ha sofferto come se avesse una lastra di ottone sullo stomaco, una sofferenza che l'ha fatto vomitare ben due volte». (*10 dicembre 1860*)

«Flaubert ci racconta che quando era bambino, sprofondava talmente nelle sue letture, attorcigliandosi una ciocca di capelli con le dita, e mordendosi la lingua, che gli capitava di cadere per terra, di colpo. Un giorno si tagliò il naso cadendo e andando a urtare contro il vetro di uno scaffale.» (*11 gennaio 1863*)

«Flaubert se ne sta seduto sul suo grande divano, le gambe incrociate alla turca. Ci parla dei suoi sogni, dei suoi progetti di romanzi da scrivere [...] Gli chiediamo di fare "l'idiota dei salotti". Lui chiede l'abito di Gautier, ne tira su il collo, non so cosa faccia, con i capelli, con la faccia, con il corpo, fatto sta che lo troviamo improvvisamente trasformato in una formidabile caricatura dell'imbecillità.» (*29 marzo 1862*)

E lui stesso scrive: «Questo libro, al punto in cui sono, mi tortura a tal punto (e se trovassi una parola più giusta la userei) che ne sono spesso malato fisicamente. Sono tre settimane che ho dei dolori da svenire. Altre volte sono delle oppressioni oppure dei conati di vomito a tavola». (*17 ottobre 1853*)

La vita in comune con gli amici era fatta di incontri, cene, serate di lettura, ma anche di scritture a quattro mani e di correzioni reciproche con quelli più intimi.

Maxime Du Camp, che era fra i più assidui a Crois set, prima di essere sostituito da Bouilhet, passava in tere notti a discutere e correggere col suo pennino d'ac ciaio (mentre Flaubert usava ancora la penna d'oca), i manoscritti dell'amico. E Louis Bouilhet, qualche anno dopo, scriveva: «Verrò a Croisset giovedì, mi metterò completamente a disposizione del tuo romanzo. Rivedremo tutta la prima parte, parola per parola». (Mantes, *19 gennaio 1866*)

«Ho letto le ultime venti pagine [di *Madame Bovary*] a Bouilhet che ne è contento» scrive Flaubert a Louise il 26 luglio '52 «domenica prossima conto di rileggergli tutto [...] A te non dirò niente invece, con te ho della ci vetteria e non ti mostrerò una sola riga prima di avere finito, per quanto abbia voglia di fare il contrario. Ma è più ragionevole, giudicherai meglio e ne avrai più pia cere, se sarà ben fatto. Ancora un lungo anno.»

Ma chiaramente non si tratta tanto di civetteria quanto di prudenza. È davvero curioso questo rapporto tra Flaubert e Louise Colet che riprende dopo quasi quattro anni di silenzio e di vite separate.

La corrispondenza del primo periodo del loro le game è appassionata e contraddittoria. Naturalmente si può parlare solo delle lettere di lui, perché quelle di lei sono andate perse, distrutte forse dallo stesso Flau bert che era schivo e geloso dei suoi sentimenti e di quelli che suscitava. (Essendo stato colpito dalla pubbli cazione delle lettere inedite di Mérimée, Gustave in sieme a Louis Bouilhet decide di bruciare tutte le let tere che si sono scritte da ragazzi. E così fa anche Ma xime. Perciò, la corrispondenza con i suoi due più in timi amici è oggi mutilata.)

In quanto a Louise Colet, e l'epistolario del secondo periodo, da lei gelosamente custodito, il tono che vi tro viamo è molto più da maestro ad allieva che da amante ad amata. Lei gli manda i suoi scritti, sempre prolissi, sempre pregni di entusiasmi letterari, sempre goffi e laboriosi, come lui le fa notare con una sincerità a volte decisamente sadica. «Il suo masochismo è certo» scrive Sartre nell'*Idiota di famiglia*, «ma il suo sadismo non è da meno, e nasce dal suo orgoglio negativo e dai sogni del suo rancore esasperato.»

«Non ti faccio osservazioni sulla seconda parte di *Fantômes* perché non c'è quasi niente che mi piaccia» scrive Flaubert a Louise il 26 novembre '53. «Sai cos'è la cosa che ti manca di più? Il discernimento. Non lo si acquista facendosi delle spugnature di acqua fredda sulla testa, cara selvaggia. Tu fai e scrivi un po' quello che ti passa per il cervello senza preoccuparti delle conclusioni [...] Usa gli occhi per guardare e non per piangere [...] Tu crei fra i tuoi concetti e le tue passioni un legame che indebolisce i primi e ti impedisce di gioire delle seconde [...] Oh se potessi fare di te quello che sogno, che donna saresti!»

E ancora: «Tu declami, non scrivi [...] No, no, no, non posso fare passare questa robaccia». «Quello che [...] mi ha reso furioso [...] è la tua testardaggine, [...] il tuo cervello è per me di giorno in giorno un oggetto di stupefazione, e quasi di vertigine [...] ci sono in questa commedia [che mi hai mandato] delle cose ammirevoli, [...] dei versi eccellenti, [...] e poi a fianco, delle debolezze inconcepibili, dei vuoti, delle ripetizioni, [...] è molto bello e molto brutto insieme.» (*14 marzo 1853*)

«Per fare della letteratura essendo donna bisogna essere passati nell'acqua dello Stige [...] tu hai due corde, mia musa, un sentimento drammatico da una parte, non fatto di colpi di teatro ma di effetti puri, e poi dall'altra hai una intesa istintiva col colore, col rilievo. Queste due qualità sono attraversate da due difetti, di cui uno ti appartiene per carattere e l'altro ti appartiene per sesso: il primo è di filosofismo, la massima, la battuta politica, sociale, democratica, tutta quella robaccia che viene da Voltaire e di cui il vecchio

Victor Hugo non è esente. La seconda debolezza è la vaghezza, la teneromania femminile. Non bisogna, quando si è arrivati al tuo livello, che il lenzuolo puzzi di latte.» (*23 dicembre 1853*)

Eppure non mancano momenti di tenerezza anche in questa seconda parte della corrispondenza. C'è il ricordo dell'amore passato anche se tinto di stucchevolezza: «Ti ho tanto amato, avevo nell'animo un oceano di crema» (*9 giugno 1852*); la dolcezza di discorrere liberamente con un'amica: «Come mi diverto a parlare con te; lascio andare la penna senza accorgermi che è tardi, questo mi distende, di inviarti a caso tutti i miei pensieri, a te, il mio miglior pensiero del cuore»; il piacere di confidarsi tranquillamente sulle cose più familiari: «mia madre ha da venticinque anni una cameriera che credeva molto devota. Ora si è accorta che invece "abusava" come si suol dire, e oltre al resto che nutriva quasi completamente un fratello (un buffone ben poco buffo, fra i più stupidi e canaglie) a nostre spese»; [...] la soddisfazione di parlare del proprio lavoro come a se stesso: «La Bovary si trascina sempre, ma un poco avanza. [...] Ne ho riletto parecchio. Lo stile è ineguale e troppo metodico, si sentono troppo i chiodi che stringono le tavole della carena. Bisognerà dare più gioco. Ma come? che mestiere da cani!» (*25 marzo 1853*); l'abitudine di rimproverarla: «Sei gelosa della sabbia su cui ho posato i piedi senza che me ne sia entrato un solo granello nella pelle, mentre porto nel cuore il largo squarcio che mi hai lasciato»; e la vanità di parlare delle donne a una donna col tono del conoscitore: «Per quanto riguarda Kuchuk-Hânem rassicurati e rettifica nello stesso tempo le tue idee orientali. Convinciti che lei non ha provato niente [...] ci ha considerati dei gran bravi cawadja (signori) perché le abbiamo lasciato non poche piastre, ecco tutto [...] La donna orientale è una macchina e niente altro; non fa alcuna differenza fra un uomo e un altro, fumare, andare ai bagni, dipingersi le palpebre e bere del caffè, questo è il cerchio delle occupazioni in cui gira la sua esistenza. In quanto al piacere fisico, deve essere molto debole visto che viene loro tagliato molto presto il famoso bottone [...] È questo che le rende così poetiche da un certo punto di vista, è il fatto che esse rientrano assolutamente nella natura [...] Da dove proviene questa maestà delle loro forme? Forse dall'assenza di ogni passione. Hanno quella bellezza dei tori che ruminano, dei levrieri che corrono, delle aquile che planano. Il sentimento della fatalità che le riempie, la convinzione del nulla che è l'essere umano dà alle loro azioni, alle loro pose, ai loro sguardi, un carattere grandioso e rassegnato [...] e poi il sole, il sole. E una immensa noia che divora tutto. Quando farò della poesia orientale (perché io pure la farò, poiché è alla moda e tutti la fanno), è proprio questo che cercherò di mettere in rilievo. Tu mi dici che le cimici di Kuchuk-Hânem te la degradano; e invece per me la rendono più incantevole. L'odore nauseabondo si mescolava al profumo della pelle ruscellante di olio di sandalo [...]» (27 marzo 1853)

Il rapporto fra Emma e Rodolphe è diventato un dialogo a senso unico. «Mi ami?» chiede lei. «Certo» risponde lui, vago. «Molto?» insiste lei noiosa, «non hai mai amato così, vero?» «Credi di avermi preso vergine?» ribatte lui volgare. «Io ti amo tanto» ripete lei monotona, «sono la tua concubina, la tua serva, tu sei il mio re, il mio idolo, tu sei buono, sei bello, sei intelligente, sei forte.»

E qui sembra di risentire le parole di Gustave a Louise: «Tu mi guardi un poco come Madame de Sévigné guardava Luigi Quattordicesimo: "oh il grande re!" solo perché aveva ballato con lei. Poiché mi ami mi credi bello, intelligente, mi predici grandi cose e invece no, sbagli». (*7 ottobre 1846*)

Ma Rodolphe non è Flaubert. Infatti, mentre le lettere di Louise «irritano» il giovane Gustave e gli danno la voglia di starsene alla larga dalla appassionata amante letterata, le dichiarazioni di Emma suscitano nel giovane signorotto di campagna dei pensieri facili e triviali. «Mentre la ascoltava pensava che era come tutte le altre [...] l'incanto della novità piano piano cadeva come un vestito che metteva a nudo l'eterna monotonia delle passioni.»

E «con la superiorità critica che appartiene a colui che da qualsiasi impegno si tiene lontano, Rodolphe vide in questo amore degli altri piaceri da sfruttare. Giudicò che ogni pudore era inutile. Cominciò a trattarla senza riguardi. Ne fece qualcosa di flessibile e corrotto».

Ed Emma che fa? come reagisce a questa metamorfosi amorosa? Non col dolore, né con la rivalsa, come potrebbe pensare qualcuno. Flaubert sembra conoscere perfettamente i meccanismi dell'autodenigrazione quasi li avesse studiati su se stesso. Il piede scivola sull'adulazione e di conseguenza c'è la caduta nell'idolatria dell'essere amato che ci disprezza.

Emma infatti acconsente. Non solo, ma cambia perfino andatura e modi di fare: «I suoi sguardi divennero più arditi, i suoi discorsi più liberi». E qui Flaubert chiarisce senza volerlo un pensiero che tutte le società paterne hanno sempre avuto, che la emancipazione delle figlie comincia con la scoperta e la ricerca del piacere sessuale.

«Ebbe l'arditezza di passeggiare con Rodolphe, una sigaretta in bocca, come per sfidare il mondo.» Un giorno, poi, la gente di Yonville la vede addirittura scendere da una carrozza di posta «la vita chiusa in un gilet, in tutto e per tutto come un uomo».

Ecco che torniamo al tema dell'androginia. Ma senza mai forzare veramente le porte dell'abisso. Se uscire col gilet da uomo e la sigaretta in bocca, significa portare su di sé i segni di una trasgressione dei ruoli sessuali, allora siamo solo nell'inganno, sembra dirci Flaubert. Il grande gioco dello scambio dei sessi si ferma all'asserzione gratuita di un gesto vuoto.

Intanto, nella casa del dottor Bovary arriva la suocera, si scandalizza di trovare la nuora in quello stato di disordine, di negligenza, priva di interesse per la casa, per la figlia, per il marito.

L'accusa, come al solito, di leggere troppi romanzi. E accusa il figlio di non avere saputo impedire alla moglie l'uso pertinace della lettura.

Ma questa volta Emma non se ne sta zitta; risponde per le rime alla suocera scandalizzata. È chiaro che questa insubordinazione è vista da Flaubert come una conseguenza della «corruzione» di Emma. Le due donne prendono a litigare penosamente, mentre il povero Charles, disperato, si chiede che cosa possa fare per riportare la pace in famiglia. Egli è legato alla madre, ma certo ama di più la moglie. Vorrebbe difendere l'una senza ferire l'altra. Ma come cavarsela?

Emma, più che mai, decide di puntare tutto sulla fuga. «Si appoggiava alla spalla di Rodolphe con gli occhi pieni di lacrime immaginando di essere già in viaggio con lui.» Il lui in questione non rifiuta, anzi, sembra incoraggiare questo progetto, ma sarebbe bastato un minimo di sensibilità per capire che non ne aveva in realtà nessuna voglia. Arrivano comunque, su insistenza di Emma, a fissare la data.

«Non era mai stata così bella» commenta l'autore e forse, pensiamo, un poco di indulgenza questa volta l'avrà verso la sciagurata Emma persa nel suo sogno d'amore e pronta, per una volta, a prendere una decisione concreta, reale. «Essa aveva quella indefinibile bellezza che risulta dalla gioia, dall'entusiasmo, dal successo [...] Le sue palpebre sembravano tagliate apposta per i suoi lunghi sguardi amorosi, in cui le pupille si smarrivano, mentre un soffio robusto allargava le narici minute e rilevava gli angoli carnosi delle labbra.»

«Si sarebbe detto che un artista abile in corruzione avesse disposto sulla sua nuca il tortiglione dei capelli che si arrotolavano in una massa pesante con negligenza e secondo gli azzardi dell'adulterio che li scioglieva tutti i giorni.»

Nel letto del marito Emma si prefigura la fuga, l'abbandono, la lontananza. Ma anche in queste fantasie – e qui Flaubert torna a sogghignare – la nostra eroina risulta irrimediabilmente manierata e dozzinale. «Immaginava di andare ad abitare in una casa bassa col tetto piatto ombreggiato da una palma, in fondo a un golfo sulla riva del mare. Lì avrebbero navigato in gondola, o si sarebbero dondolati sopra un'amaca, e la loro esistenza sarebbe stata facile e comoda come i loro vestiti di seta, dolce e stellata come le notti che avrebbero contemplato insieme.»

Dalle lettere di Flaubert veniamo a sapere che Louise Colet sognava spesso di partire per Venezia dove era stata da bambina col padre e sognava proprio le gondole, le palme, confondendo Venezia col Cairo. Ma Louise era troppo povera per pagarsi un viaggio simile. Né Gustave ebbe mai la generosità di invitarla in uno dei suoi lunghi pellegrinaggi, come ha fatto invece con l'amico Maxime Du Camp, o con Louis Bouilhet.

Ma per quanto i sogni di Louise fossero convenzionali è probabile che non raggiungessero quel livello di cattivo gusto che Flaubert attribuisce alla Emma del suo romanzo. D'altronde anche lui passava intere giornate a preparare viaggi immaginari, in Italia, in Africa, nel lontano Oriente. Le sue fantasie di vagabondaggio non erano qualche volta molto dissimili da quelle ingenue di Emma e di Louise. Un certo esotismo dal fascino sbrilluccicante e consolatorio non era del tutto assente dal suo bagaglio culturale e lui ne era consapevole.

Intanto arriva per Emma il giorno fissato della partenza. Ma Rodolphe trova una scusa: le chiede un rinvio di quindici giorni. Emma, non dubitando di nulla, acconsente. D'altronde che può fare? Il suo progetto è così vago che non comprende né una idea del luogo da raggiungere insieme né un piano economico né niente. Si affida completamente alle iniziative dell'amante. Per conto suo ha solo ordinato al solito Lheureux un baule e una cappa da viaggio.

Infine, dopo altri due rinvii chiesti da Rodolphe, la data viene definita: sarà il 4 settembre, lunedì. La sera prima si vedono per gli ultimi accordi nel bosco di Yonville. Emma lo trova triste, gli chiede il perché. Ma lui non risponde. «Mi ami dunque?» ripete lei assillante. «Sì, ti amo, ti amo, ti amo, amore mio» ripete lui cercando di essere convincente ma si capisce che pensa ad altro.

«A domani» dice Emma fiduciosa. Lui fa un cenno di assenso con la testa. Lei si dirige verso casa. Lui si volta a guardarla e «quando vide il vestito bianco di lei che a poco a poco svaniva nell'ombra come un fantasma, fu preso da un tale abbattimento di cuore che si appoggiò contro un tronco per non cadere».

I suoi ragionamenti invece sono molto pratici: «Peccato, era una bella donna, ma non posso mica espatriare per lei e magari con il peso di un figlio. [...] Pensa alle noie, alle spese [...] No, mille volte no, sarebbe troppo stupido!».

La mattina dopo Emma riceve una lettera nascosta dentro un cesto di albicocche. «*Du courage, Emma, du courage!*» scrive ipocrita Rodolphe, «non voglio la rovina della tua vita.»

Flaubert, mentre Emma legge la fatale lettera, ritorna su Rodolphe, quasi in un flash back cinematografico, di grande efficacia narrativa, per mostrarcelo mentre scrive la lettera commentandola fra sé: «Povera donna, mi crederà più insensibile di una roccia, ci vorrebbe qualche lagrima [...] e dopo aver immerso il dito nell'acqua di un bicchiere ne lasciò cadere una grossa goccia sul foglio appena vergato».

Emma legge le parole di Rodolphe e il suo primo istinto è di gettarsi dalla finestra della soffitta dove si è nascosta per decifrare in pace la lettera. Ma non lo fa. Semplicemente sviene. Così come ha fatto quando ha saputo che aveva partorito una figlia anziché un figlio. Lo svenimento è un modo di chiudere il sipario di una scena troppo esposta e dolorosa.

Di lì a poco, arriva Charles, arriva perfino la bambina che si slancia per abbracciarla, ma Emma respinge tutti: «No, no, nessuno!» grida. E sviene di nuovo.

Per quarantatré giorni Emma delira in preda alla

febbre, col marito piangente accanto. Finalmente, si dice il lettore, ecco una sofferenza vera, umana. Una donna che ha puntato tutto su un uomo, su una fuga, e si vede abbandonata all'ultimo momento con viltà, non è logico, non è giusto che abbia un momento di vero dolore, di vero sconforto? E invece no. Anche questo momento di sofferenza viene deformato dal grottesco. Emma, ci dice Flaubert, trova il modo di teatralizzare l'avvenimento, su uno dei suoi amati palcoscenici. Cos'è che non ha ancora sperimentato la signora Bovary? una crisi mistica. E quale occasione migliore di questa per recitare una parte del tutto nuova? E difatti eccola lì, da che ci sembrava agonizzante, già intenta a preparare questo nuovo ruolo di martire che aspetta la santificazione.

Appena può aprire la bocca manda il marito a cercare un prete e quando costui le spruzza addosso l'acqua benedetta «le parve di sentire le arpe dei Serafini, di scorgere nel cielo azzurro, su un trono d'oro, in mezzo ai santi che tenevano delle palme verdi in mano, Dio Padre tutto splendente di maestà che, con un cenno, inviava verso terra degli angeli dalle ali di fiamma perché la portassero da lui tenendola fra le braccia».

«Volle diventare una santa. Per questo si comprò dei rosari, degli amuleti, desiderò di avere nella sua stanza, al capezzale, un reliquiario tempestato di smeraldi per poterlo baciare tutte le sere.»

«Madame Bovary non aveva una intelligenza abbastanza pura» commenta con freddezza Flaubert «per applicarsi seriamente a checchessia.» Nonostante i tanti libri di devozione in cui si immergeva. «Quando il libro religioso le cadeva dalle mani, essa si credeva presa dalla più fine delle malinconie cattoliche.»

In questa accozzaglia di sensazioni e di nozioni c'è già tutto *Bouvard e Pécuchet*. Anche Emma, come tutti i grandi dilettanti, ama provarsi in campi diversi, lontanissimi fra di loro, ciascuno con un suo enorme bagaglio di conoscenze che, per essere assorbite avrebbero avuto bisogno di anni di studio e di pratica professionale.

Ma Emma per l'appunto è una velleitaria. Un don Chisciotte al femminile, vista senza simpatia. Non può soffrire nessuna disciplina, nessuno studio, la nostra madame Bovary. Sogna di dominare le cose che non conosce solo perché ne ha sentito parlare, anzi ne ha letto. La sua disinvolta incoscienza non può non suscitare compassione accompagnata da fastidio.

Potremmo dire che questa era anche la condizione generale delle «signorine di buona famiglia» dell'Ottocento. Molti sogni, molti miti, nessuna vera conoscenza approfondita, nessuna professionalità, nessuna applicazione. Di una scrittrice si pensava che non aveva «competenze»: come parlare d'amore se si era sotto tutela, e se ogni libertà era considerata libertinaggio?

Pronte a svenire per dire no, ma anche per dire sì, esse erano costrette a usufruire «selvaggiamente» del linguaggio del corpo, il solo che era dato loro di esprimere.

Ma Flaubert non ha pietà per le debolezze di Emma e non vuole storicizzarle, come avrebbe fatto il suo amico Henry James, e neanche gli interessa mettere a fuoco il più profondo nodo dell'inquietudine femminile, come faceva un altro suo amico dal nome prestigioso, Turgenev.

Flaubert si compiace di descriverci la sua Emma nelle varie prestazioni d'attrice con soddisfatta pignoleria. Dopo averci raccontato come si acconcia a recitare la parte della «santa» ci dice però che anche le più esaltanti recite hanno un termine, per la semplice ragione che Emma Bovary si annoia di se stessa. D'altronde se si incaponisse sempre nella stessa rappresentazione, non diventerebbe una specialista di quel campo? quasi un'artista?

Sotto il suo dilettantismo non c'è nessun vero sentimento, neanche di curiosità per la materia che sta trattando come fosse sua per vocazione.

Così, mentre all'inizio la sua camera da letto diventa meta di amiche pie e di preti, mano mano che l'appetito torna a farsi sentire, rinasce l'insofferenza verso quegli stessi che sono stati testimoni delle sue manifestazioni religiose.

Più il suo corpo diventa robusto, più il suo entusiasmo mistico si affievolisce. «Il tono della voce tornava a essere deciso, forte, le opere di beneficenza si erano fatte rare.»

Il farmacista Homais consiglia a Charles Bovary di «portarla un poco a teatro» per svagarla e aiutarla nella convalescenza. È ancora così pallida e smagrita. Ma Emma non vuole saperne.

Staccarsi dal nuovo personaggio, per quanto le sia venuto a noia, ogni volta le riesce penoso e difficile.

Charles insiste, «per il suo bene». Ed è sincero, lo sappiamo. Cominciamo a chiederci se non sia il solo personaggio verso cui Flaubert mostri una segreta sotterranea affettuosa condiscendenza.

Una sera, infine, Emma si decide e tutti e due si mettono in ghingheri per andare a Rouen a vedere la *Lucia di Lammermoor*.

Emma, dice Flaubert, ama la musica, anzi per la precisione ama il melodramma. Ma le sue preferenze non vanno all'essenza della musica, perfino nella sua più semplice e popolare godibilità di arie e duetti famosi: piuttosto si soffermano su quel tanto di sentimentale, di roboante e di folcloristico che si trova nei libretti d'opera.

Durante il primo atto della *Lammermoor*, nel teatro di Rouen, vediamo la nostra eroina appoggiarsi languidamente al palco, apparentemente colpita dalla musica. In realtà la sua attenzione è catturata dal tenore che le appare bello e amabile e da cui sogna di «farsi rapire» in una notte di tempesta. Inguaribile, dolcissima Emma che a questo punto non sappiamo più se difendere dal suo stesso autore, o abbandonare ignominiosamente al suo insopportabile fumettismo.

Nell'intervallo, Charles scende al foyer a prendere qualcosa da bere. Tornando, dice alla moglie: «Indovina chi ho incontrato? Léon. Verrà fra poco a salutarti».

Da quel momento Emma non segue più l'opera, dimenticando il cantante che l'aveva sedotta pochi minuti prima e le parole retoriche a cui si era abbandonata con entusiasmo.

Pensando a Léon le tornano in mente i tête-à-tête accanto al fuoco, il loro amore «così calmo, così dolce, così discreto e così tenero».

Quando il bel Léon entra nel palco, lei si mostra felice di vederlo e quando lui le chiede se l'opera non l'annoi, lei subito ammette che sì, l'annoia molto. Così decidono di uscire nonostante le timide proteste di Charles che lui sì, davvero, era preso dalla musica e la stava seguendo con attenzione.

I tre se ne vanno a spasso succhiando un sorbetto al rum. A questo punto Léon propone di tornare il giorno dopo a vedere l'ultimo atto perduto. Il dottor Bovary dice che lui, purtroppo, deve rientrare a Yonville «ma tu, se vuoi, resta», propone alla moglie, felice di farla felice.

Ancora una volta è proprio lui, il marito premuroso e innamorato, a mettere la moglie nelle condizioni di tradirlo. Ma in Charles non c'è cinismo, non c'è calcolo. Poiché il suo amore è al di sopra di tutto, lui veramente è contento di vedere la moglie che sta bene, che si gode un poco di svago dopo tanto patire.

Uno potrebbe dire che così agisce da imbecille più che da cinico, e che, a questo punto, tanto peggio per lui. Ma un marito che non vuole sapere, non saprà mai, neanche se gli mettono i fatti sotto gli occhi. Qualcuno potrebbe chiedersi perché un marito non vuole sapere del torto che gli fa sua moglie. Sarà per paura di affrontarne le conseguenze? o per essere giustificato nelle sue malefatte altrettanto clandestine? o per disinteresse assoluto verso quello che fa la moglie? o per essere lasciato in pace dopotutto, o per il piacere masochista di soffrire? o perché la sua eccitazione sessuale richiede proprio quello: la vista o il pensiero della moglie con l'altro? o ancora perché gli fa comodo che la moglie resti moglie in casa e sa che può ottenerlo solo lasciandole una certa dose di libertà sessuale? I motivi sono tanti e tutti plausibili.

Si direbbe però che nessuno di questi motivi stia all'origine della cecità di Charles Bovary. Ricordiamoci che a scuola lo chiamavano «Charbovary» per la sua ti-

midezza che lo portava a balbettare, e che lo prende-
vano in giro per la sua goffaggine e la sua pusillanimità.
Ricordiamo che a fargli prendere la laurea in medicina
è stata la madre perché lui, di suo, avrebbe vissuto di
sogni senza fare niente; ricordiamo che in classe, mentre gli altri gettavano con disinvoltura il berretto sotto il
proprio banco, lui se lo teneva stretto al petto con toc-
cante impaccio, tanto che veniva considerato uno scimunito. Ricordiamoci che è stata sempre la madre a
trovargli il posto di medico condotto e a sposarlo con
una ricca vedova, che poi perse tutto e morì di crepa-
cuore.

In un certo senso, come Emma, anche Charles vive
di sogni, ma i suoi sono sogni semplici, non hanno
niente a che vedere con la letteratura. Lui, non c'è pericolo che legga un libro. È sempre in giro, sulla sua povera cavalcatura, anche se con poco costrutto. Charles
è uno che perde tempo, che ha simpatia per gli altri,
che preferisce il tepore della sua minuscola immaginazione al calore eccessivo della realtà.

Per questo forse, in fondo, sono una coppia assor-
tita. Tutti e due voltano la faccia alle concretezze del
mondo. Solo che Emma recita e si inventa un universo
fatto di iperboli sentimentali mentre Charles si tiene
alle poche cose certe della sua vita: l'amore per la moglie, la tenerezza per la figlia, la soggezione affettuosa
per la madre e basta. Non c'è posto, nel suo cuore, per
altro. E come tutte le persone che si concentrano su
uno o due particolari, tendono a ingigantirli, adattan-
doli a modo loro, curandoli e tenendoseli cari.

Charles, che è un omone alto e grosso (non era alto
e grosso anche Flaubert? non era anche lui ritenuto in
famiglia come uno scimunito, quasi idiota quando era
bambino?) è estremamente consapevole della sua mole
e si muove con attenzione, cercando di non calpestare
niente di fragile. Rozzo, goffo, pigro, si direbbe perfino
scemo, in realtà si mostra capace di ciò che nessuno dei

personaggi flaubertiani sa fare: amare con dedizione materna, con tenerezza protettiva, con generosità infinita, la persona che ha scelto di amare.

Solo le madri sanno amare così, senza chiedere niente in cambio e chissà che, nell'amore fra adulti, questo tipo di sentimento non sia poi alla fine deleterio, catastrofico. Ma è certamente un sentimento poetico, mite, magnanimo, splendido.

Emma, la sera della *Lucia di Lammermoor*, rimane a Rouen col permesso del marito. Il giorno dopo si incontra con Léon in chiesa. Da principio pensa solo di consegnargli una lettera di addio. Ma nel consegnargliela rimane presa dalle parole di lui che sostiene di averla sempre amata e attesa per tutti quegli anni.

Ancora una volta sarà il linguaggio a fare da galeotto nell'amore. Emma non acconsente né alla forza né alle promesse. Solo quando l'altro sa trovare «le parole giuste», quando entra con tutti e due i piedi nel cerchio magico dello stile «da romanzo d'amore», solo allora essa riconosce il suo simile e acconsente.

«No, voi siete troppo giovane e io troppo vecchia, dimenticatemi» dice lei melodrammatica. E quale tentazione sessuale equivale al piacere di pronunciare queste letterarie e stellate parole?

«Contemplando il giovane uomo con uno sguardo intenerito, Emma respingeva le carezze che le mani frementi di lui le rivolgevano.» Questa è un'altra delle scene francamente comiche del libro. Flaubert non prende affatto sul serio i suoi due eroi, per quanto li faccia agire davanti a noi in tutta la precisione di una scena naturalistica. Nello stesso momento in cui monta la scena, si preoccupa di smontarla.

E probabilmente in questo meccanismo sta la grandezza del suo stile, crudo, realistico e contemporaneamente analitico, ironico, astratto, fortemente ideologico e citazionale.

Emma insiste tanto nel diniego che Léon, per discrezione, decide di desistere ancora una volta. Ma la rinuncia di lui mette subito in allarme Emma: «Essa fu presa da una vaga paura davanti a questa timidezza più pericolosa, per lei, dell'ardimento di Rodolphe».

Sembra di assistere a una gag del teatro di Plauto: lui insiste, lei si nega, lui desiste per timidezza, lei è presa da costernazione, ma come farlo ricominciare a insistere senza passare per una sfacciata? Il gioco sta nel rilanciare; se l'altro si tira indietro è finito il divertimento.

Ma Emma, per sua disgrazia, non lo prende come un gioco. Lei ha bisogno di credere che ogni sua mossa costituisca l'azione precisa, prevedibile e grandiosa di una spettacolare tragedia che si recita sul palcoscenico della vita. Dalla distanza che si crea fra l'intenzione dei due protagonisti e i fatti, sgorga una comicità dileggiante, atroce e irresistibile.

«Mai un uomo le era sembrato più bello. Uno squisito candore emanava dalla sua persona. Egli abbassava le ciglia lunghe e fini che si piegavano. La guancia dalla pelle soave arrossiva, pensava lei, per il desiderio della sua persona e sentiva una invincibile voglia di posarvi sopra le labbra.»

Escono insieme dalla chiesa. Léon chiama una carrozza. Emma è indecisa, dice che non sa, che non è una «cosa ben fatta». La sua adesione linguistica al personaggio è perfetta. In teatro la si applaudirebbe a lungo.

Léon, per una volta, taglia corto, deciso, dicendo: «A Parigi si usa così». «E questa parola, come un argomento irresistibile, la convinse», spiega con la solita crudeltà beffarda il nostro amico Flaubert. Che cosa poteva convincere la piccola provinciale falsamente pudica, se non la mitica immagine della città che detta le leggi del comportamento e della moda? Molière non avrebbe saputo fare di meglio.

E qui arriviamo al famoso episodio della carrozza che tanto ha scandalizzato i benpensanti di allora e che è rimasta come un capolavoro dell'eros in letteratura. Eppure anche questa famosa scena drammatica è vista con sarcasmo, senza nessun abbandono lirico. Già nel percorso a caso seguito dalla carrozza, perché Léon salendo ha semplicemente detto «andate dove volete», si può sentire la risata sardonica dell'autore. «La carrozza discese la rue Grand-Pont, attraversò piazza Des Artes, il quai Napoléon e il Pont Neuf, e si arrestò davanti alla statua di Pierre Corneille.»

Come non vedere in questo ipotetico tragitto uno sberleffo ai grandi miti del tempo: l'Arte, la Novità, Napoleone? Per fermarsi davanti alla statua del più riverito padre delle lettere francesi, Pierre Corneille?

«Continuate!» fa una voce dall'interno della carrozza non appena il vetturino accenna a fermare i cavalli. E il fiacre riprende il suo correre insensato. Ma, nell'obbedire, il vetturino prende troppe curve e allora si sente la stessa voce dall'interno che grida: «No, dritto!».

Non ci viene descritto cosa facciano i due all'interno della carrozza ma lo possiamo immaginare. E capiamo che le curve infastidiscono il lungo abbracciarsi dei due, e che ogni arresto è un tormento. Come quando si è in treno e si cerca di dormire. Sono le fermate che ci svegliano, mentre lo scotimento monotono del vagone ci induce al sonno.

La carrozza deve sempre procedere di corsa perché i due possano congiungersi in qualche modo all'interno e noi ne seguiamo l'andamento sulla faccia del cocchiere che si fa sempre più perplessa e scocciata. Solo quando il cavallo trotta tranquillo su una linea diritta sembra che vada bene a quei due là dentro. A ogni fermata, a ogni curva si sente una mezza voce soffocata che ordina: «*Marchez donc*».

Così procedono per due buone ore finché il cocchiere si ferma, stanco, demoralizzato, e quasi piangendo «per la sete, per la fatica e la tristezza».

Il commento di Flaubert: «E andando al porto, in mezzo ai carri e ai barili e lungo le strade agli angoli vicino ai paracarri i borghesi spalancavano gli occhi davanti a questa cosa così straordinaria in provincia: una vettura a tendine chiuse che appariva e riappariva continuamente, più chiusa di una bara e sballottata come una navicella».

Se fra i due c'è stato piacere, ritrovamento, gioia, possesso, carezze, amore, baci, certo noi ne abbiamo visto solo la parte più sgradevole e burlesca: quella «bara» ambulante su cui i buoni borghesi di Rouen spalancano gli occhi stupiti.

Anche con Louise la prima passeggiata amorosa è avvenuta in carrozza. Dopo l'incontro dallo scultore Pradier, che era intento a farle il ritratto: «Sai [come] ti rivedo sempre: nello studio, in piedi che posi, con il sole che ti illumina di lato e io che ti guardavo e anche tu mi guardavi» (*13 agosto 1846*), Flaubert la invita a fare un giro al Bois de Boulogne in carrozza e lei accetta.

Solo che in quell'occasione c'era anche Henriette, la figlia bambina di Louise. E certamente non possono avere amoreggiato troppo apertamente. Anche se Henriette molto opportunamente «dormiva». Flaubert ricorda: «Come dormiva Henriette sui cuscini! E il dolce movimento delle molle e le nostre mani e i nostri sguardi intrecciati. Vedevo i tuoi occhi brillare nella notte. Avevo il cuore tiepido e molle». (*26 agosto 1846*)

C'è anche una seconda passeggiata in carrozza che si svolge in maniera molto simile a quella descritta nel libro e che viene ridicolizzata da Flaubert qualche anno dopo durante una famosa cena in casa dei fratelli Goncourt: «Gustave ci racconta una trombata con la Colet iniziata durante un riaccompagnamento in carrozza, proseguita recitando con lei la parte dell'uomo disgustato della vita, di tenebroso, di nostalgico del suicidio, ruolo che si divertiva a fingere e che lo esilarava al punto da fargli cacciare il naso di tanto in tanto al fine-strino per ridere di nascosto». (*6 dicembre 1862*)

Ma torniamo a Emma che, rientrando dal famosis-simo giro in carrozza così straordinariamente descritto da Flaubert, scopre che la vettura di posta per Yonville è già partita. E che dirà Charles che la sta aspettando con ansia? Il suo cuore, come dice l'autore, «sente già quella vile docilità che è, per molte donne, come il ca-stigo e il riscatto dell'adulterio».

Curioso questo contrasto con tutto quello che ci ha detto finora. Emma non era stata giudicata proterva, mordace, aggressiva? Non era di questo che la rimpro-verava Flaubert, incalzante e severo? E ora invece la biasima per essere diventata «docile e vile». Un altro tratto ripugnante, contraddittorio, infelice con cui con-notare quella «perfida» creatura che risponde al nome di Emma?

Una mattina Léon fa visita al farmacista Homais e lo invita ad andarlo a trovare a Rouen. Homais lo prende in parola e si presenta qualche giorno dopo al suo albergo, proprio nelle ore in cui Léon ha appuntamento con Emma.

Homais lo trascina al ristorante; gli riempie la testa di chiacchiere volgari: «La tedesca è vaporosa, la francese libertina, l'italiana appassionata» e così via.

Léon, che è timido e non osa dirgli che ha un altro appuntamento, riesce a liberarsi solo dopo il pranzo, il caffè e la fumata di rito. Quando arriva all'albergo Emma non c'è. Esasperata dalla lunga attesa se n'è andata. «Quella mancanza di parola all'appuntamento le sembrò un oltraggio: [lo considerò] incapace di eroismo, debole, più molle di una femmina, avaro e pusillanime.» Poi si calmò e finì per scoprire di averlo calunniato. Ma «la denigrazione di coloro che amiamo ci allontana sempre un poco da loro» commenta con acutezza Flaubert, «non bisogna toccare gli idoli. La doratura ci resta sulle mani».

Non è successa la stessa cosa a Louise con i tanti appuntamenti mancati di Gustave che le prometteva di andarla a trovare a Parigi il tale giorno, alla tale ora e poi, all'ultimo momento, mandava un biglietto per dire che non sarebbe venuto oppure semplicemente non si presentava?

E Louise accumulava rancore, denigrava il suo idolo e poi si trovava le mani imbrattate d'oro.

«Ricevo la vostra lettera di avant'ieri. Ancora lagrime, recriminazioni e, cosa più buffa, delle ingiurie. E
tutto questo perché non sono venuto ad un appuntamento che non avevo promesso. Voi mi direte che era
inteso tacitamente fra di noi che avrei dovuto esserci.
Ma se non ho potuto, se esistevano dei motivi che voi
non potevate conoscere [...] non importa, voi vi preoc-
cupate ben poco di tutto quello che mi succede.» *(6
agosto 1847)*

Questo passaggio dal tu al voi, dopo quasi un anno
di legame amoroso è ancora da capire. Anche perché
nella lettera dopo Flaubert tornerà al tu. Che volesse
prendere le distanze da Louise? O che avesse paura di
una sbirciata da parte di sua madre? Molte cose dipen-
devano da lei. E il timore di suscitare la sua gelosia doveva essere molto forte se il giovane Gustave costrin-
geva Louise a spedire a Maxime Du Camp le sue lettere che venivano chiuse in un'altra busta e indirizzate
a Croisset in modo che apparissero come missive dell'a-
mico.

«Voi mi dite che finirò con l'odiarvi» scrive Louise
in una delle pochissime lettere rimaste «ma non mi co-
noscete. Non ho mai saputo cos'è l'odio e non credo,
per quante trasformazioni abbiate potuto supporre in
me, che voi arriverete mai a farmi provare un sentimento che tutta la mia natura respinge.» *(9 novembre
1847)*

In effetti l'amore di Louise per Gustave è tenace e
resiste per anni, nonostante la lontananza, le sgarberie
di lui, la mancanza d'amore, i rari incontri sessuali, le
manifestazioni di noia e di intolleranza. «Oh che gioia,
avere ritrovato Gustave» scrive nel suo diario dopo la
riconciliazione del '51, «quale sia l'indifferenza del suo
affetto, non mi atterrò a esso. Lo amo più di chiunque
altro e lui stesso mi apprezza, e poi tutte queste rela-
zioni spezzate fanno male, mi umiliano.»

Anche Emma ha una capacità straordinaria di «perdonare» l'amante che la trascura, e torna da Léon «più avida e accesa che mai».

Emma ormai ha preso l'abitudine all'adulterio. Non mette più nemmeno in scena quei moti di falso pudore e di falsa ripulsa che prima credeva necessari nel comportamento di una «vera signora». Quando entra nella stanza d'albergo si spoglia decisa, e nuda com'è, si getta sul corpo di Léon, con avidità teatrale.

Anche Louise ama con avidità ed eccessivo trasporto. E Flaubert ne è evidentemente spaventato: «Non amarmi tanto» le ha scritto appena cominciato il rapporto «lascia che sia io ad amarti, non sai che amare troppo porta sfortuna a tutti e due? E, come i bambini che sono stati troppo accarezzati da piccoli, muoiono giovani. La vita non è fatta per questo. La felicità è una cosa mostruosa. Sono puniti coloro che la cercano». *(8-9 agosto 1846)*

«Ieri ho portato mia figlia dal dottor Toirac», scrive Louise nel suo diario «[...] mi ha parlato di Gustave. Che partirà per l'Oriente fra qualche giorno. Partirà senza vedermi, senza scrivermi. Inspiegabile cuore! Il mio vorrebbe cessare di battere e di sentire. È troppo il dolore.» *(28 settembre 1849)*

«Penserai che sono egoista, che ho paura di te», le scrive Flaubert, «ebbene sì, sono spaventato dal tuo amore perché sento che ci divora entrambi, te soprattutto. Sei come Ugolino in prigione, mangi la tua propria carne per sfamarti.» *(9 agosto 1846)*

Anni dopo le scrive: «Ho paura, povera cara Louise, di ferirti (ma il nostro sistema è buono di non nasconderci niente) ebbene, non mi spedire il tuo ritratto fotografico. Detesto le fotografie quanto amo gli originali [...] Ah, come sono vecchio, come sono vecchio, povera cara Louise». *(14 agosto 1853)*

E ancora: «Ti amo tanto quando ti vedo calma e so che stai lavorando bene. Ti amo ancora di più forse, quando ti so sofferente. E poi tu mi scrivi delle lettere piene di brio. Ma, povera cara anima, controllati! Cerca di moderare la tua "furia meridionale" come dici parlando di Ferrat». (*28 giugno 1853*)

«La tua voce si è riempita di singhiozzi e non sento altro che i tuoi gridi di dolore che mi accusano. La tua povera anima è come un guerriero ferito. Da qualunque parte la si voglia prendere si tocca una ferita e ti si fa soffrire.» (*25 ottobre 1846*)

«C'era nelle pupille smarrite di Emma» scrive Flaubert «qualcosa di estremo, di vago e di lugubre che a Léon sembrava insinuarsi fra di loro sottilmente come per separarli.»

«Vedendola così sfrenata in amore, Léon si dice che la signora Bovary deve essere passata attraverso chissà quali prove di sofferenza e di piacere. Ma quello che al principio lo incantava adesso un po' lo spaventa.» Si sente prendere, assorbire da lei come se volesse divorarlo.

«Quella vittoria permanente lo irritava», scrive Flaubert di Léon e pare che parli di se stesso. «Si sforzava di non amarla, ma poi a ogni scricchiolio delle sue scarpe si sentiva debole, come un alcolizzato alla vista dei liquori forti.»

Emma d'altronde lo circonda con ogni sorta di attenzioni. «Portava da Yonville delle rose e gliele gettava in faccia, si mostrava preoccupata per la sua salute, gli dava dei consigli per la sua condotta e infine, sperando di legarlo per sempre e sperando in un intervento celeste, gli regalò un medaglione della Vergine.»

Questa, dei regali, era un'altra mania di Louise che si presentava a Gustave sempre con qualcosa di nuovo: fiori, cuscini ricamati, fermacarte, bonbon. Gustave la rimproverava. Sentiva che quei regali volevano creargli degli obblighi di gratitudine. Erano offerte a un Dio corrucciato per supplicarne la benevolenza.

Ma Louise conosceva quel leggero feticismo a cui volentieri si abbandonava Flaubert. Non aveva conservato e nascosto, fin dai primi tempi del loro incontro, alcuni segreti tesori? fra cui le sue pantofoline a spicchi blu, il fazzoletto macchiato di sangue, la ciocca di capelli nel ritratto, il sacchetto delle lettere «di cui respiro l'odore muschiato», nonché il famoso «portasigarette con la scritta Amor nel cor»?

Flaubert amava circondarsi di ricordi: «Non vendo mai i miei vecchi abiti. A volte vado a vederli nel solaio dove stanno e penso a quando erano nuovi e a tutto quello che ho fatto portandoli». (*8-9 agosto 1846*)

Come Louise, anche Emma ama circondare il suo amato di piccoli regali-ricordo che spera divengano oggetti-feticcio. I suoi regali sono inoltre un attestato di felicità. Di quella felicità che era ben lontana dal provare. «Eppure io lo amo» si diceva Emma, ma questo non le basta. «Da dove le veniva» si chiede Flaubert, «quella insufficienza di vita, quell'imputridimento istantaneo delle cose a cui si appoggiava?»

Quasi le stesse parole che troviamo in una delle prime lettere a Louise: «Non siamo che corruzioni e putrefazioni successive, alternate, che si invadono le une con le altre». (*13 dicembre 1846*)

«Ogni cosa è menzogna» si dice Emma, «ogni sorriso nasconde uno sbadiglio di noia, ogni gioia una maledizione, ogni piacere il suo disgusto e ogni bacio non vi lascia sulle labbra che un irrealizzabile desiderio di una voluttà più grande.»

Tutti concetti, questi, che ritroviamo nelle lettere più sincere di Gustave a Louise e che appartengono al motivo ricorrente del *taedium vitae* di Flaubert. «Tutto quello che appartiene alla vita mi ripugna, tutto quello che mi trascina e mi ci rituffa in questa stessa vita mi spaventa [...] Ho in me, in fondo a me, una noia radicale, intima, acre e incessante che mi impedisce di gustare qualsiasi cosa e che mi riempie l'anima fino a farla scoppiare. Riappare ad ogni proposito come le carogne gonfie dei cani che ritornano a galla nonostante

le pietre che sono state attaccate loro al collo per anne-
garli.» (*20 dicembre 1846*)

«È penoso ma sono sempre stato così: desidero
quello che non ho e non ne so godere quando lo pos-
siedo, mi affliggo e mi spavento dei mali futuri.» (*7 dicembre 1846*)

«Sono nato annoiato, è questa la lebbra che mi cor-
rode. Mi annoio della vita, di me, degli altri, di tutto.»
(*2 dicembre 1846*)

Emma, come Gustave, questa volta. Nonostante l'a-
more o forse a causa dell'amore troppo intenso, troppo
sconvolgente, sente il sapore dolciastro della morte
sulla lingua e si chiede, insistentemente: «Ma perché
sono quella che sono?».

Emma Bovary è angustiata dalla mancanza di soldi. Ma anziché provvedere riducendo le spese, si butta a fare acquisti sempre più costosi e ingiustificati. Indebitandosi con l'onnipresente avido monsieur Lheureux, il quale continua a farle firmare cambiali su cambiali. I soldi se ne vanno in viaggi a Rouen, alberghi per gli incontri amorosi, regali, fiori, ristoranti.

Sembra di vedere Louise, anche lei eternamente in angustie per la mancanza di denaro. Troppo orgogliosa per chiederne al vecchio filosofo Cousin di cui è stata l'amante per anni e da cui pensa, ma non ne è sicura, di avere avuto la figlia. Assolutamente incapace di rivolgersi per aiuto al nuovo innamorato, Gustave Flaubert. Il quale d'altronde non sembra accorgersi delle sue ristrettezze né si propone di soccorrerla nei momenti più drammatici. «Gustave è buono, generoso» scrive Louise «piuttosto prodigo, ma non si preoccupa affatto delle umiliazioni che assillano la donna che ha stretto con passione nelle sue braccia [...] mi sono rimasti solo dieci franchi in tutto per il trimestre prossimo.»

«Ho recuperato la calma ritrovando l'affetto di Gustave; non è tutto ma mi sostiene. Mi fa lavorare e se il lavoro potesse affrancarmi completamente dal Filosofo per mia figlia, sarei interamente felice.»

È patetico il tentativo di Louise di guadagnare soldi con la letteratura. Cosa che riusciva a stento a scrittori professionisti che sfornavano un romanzo ogni sei

mesi. Dovrà, infatti, adeguarsi a scrivere noiose cronache mondane per i giornali e a fare traduzioni pagate
malissimo. Il suo bisogno di indipendenza, come per
Emma, si sposa soprattutto col mondo dei sogni. Concreta è, invece, la povertà, qualche debito e la dipendenza, che provoca rancore perché provoca impotenza,
dagli uomini che ha scelto di amare.

Non sapendo a che partito appigliarsi, alla fine
Louise si deciderà a chiedere un prestito a Gustave. Il
quale le anticiperà cinquecento franchi. Che lei gli re-
stituirà d'altronde quasi subito, anche se a rate.

«Emma si preoccupa del denaro meno di una arciduchessa», scrive Flaubert della sua eroina.

Intanto Lheureux minaccia di rivolgersi al tribunale
per riavere i suoi crediti; Emma lo supplica di non
farlo, e lui la spinge a firmare altre cambiali.

Alla richiesta insistente del commerciante, Emma
chiede i soldi al marito. Ma lui è al verde e li chiede a
sua volta alla madre, la quale gli scrive che non ha più
niente, gli ha già dato in anticipo l'intera eredità.

Emma prende a vendere gli oggetti di casa «mer-
canteggiando con rapacità». Questa «rapacità» appare
davvero un insulto gratuito. Non aveva detto poco
prima che era incapace di preoccuparsi del denaro,
come una arciduchessa? Come si concilia la rapacità
con la prodigalità da arciduchessa?

«Il suo sangue di contadina la spingeva al guada-
gno. Prese a chiedere soldi alla cameriera, al proprieta-
rio della locanda.» Ma i soldi Emma li ha spesi in regali,
perciò è difficile immaginarla avara.

Qualche volta si sforza pure di mettersi al tavolo a
fare i conti, ma, scrive Flaubert, «scopriva delle spese
così esorbitanti che non ci poteva credere. Allora rico-
minciava a spendere senza pensarci più».

Casa Bovary ha preso un'aria triste: si vedono uscire i fornitori con l'aria indaffarata, seccata. E la piccola
Berthe «portava le calze bucate».

Se Charles osa farle timidamente qualche osservazione Emma risponde sgarbata, con «brutalità», che non è colpa sua, che la lasci in pace. Charles, che è il solo a esprimere una generosità del tutto disinteressata, si preoccupa prima di tutto per lei e poi per la bambina. Quella Berthe dalle calze coi buchi che gli chiede: «Dov'è la mamma» e a cui lui risponde dolce: «Chiama la domestica, lo sai che la mamma non vuole essere disturbata».

Ma che fa questa mamma che non vuole essere disturbata? Se ne sta chiusa in camera da letto, semivestita, «stordita dal fumo delle pastiglie di *sérail* che aveva comprato a Rouen in un negozio algerino».

I negozi algerini, le pastiglie, le cinture, le sete, sono anche la passione di Flaubert e fanno parte del suo desiderio di esotismo che lui stesso giudica deprecabile e ridicolo.

Per non trovarsi il marito accanto nel letto, Emma ha finito per relegarlo «a furia di smorfie», scrive Flaubert, al secondo piano della casa, tanto, lei leggeva fino al mattino.

Ci chiediamo cosa legga Emma a questo punto della sua vita. Sempre gli stessi libri sentimentali e i romanzi di avventure? No, i suoi libri, ci dice Flaubert, sono diventati «stravaganti». Vi si possono trovare «dei disegni orgiastici con scene sanguinolente». Qualche volta «presa dalla paura emette un piccolo grido». Charles accorre e lei gli dice secca: «Vattene!».

Altre volte, «bruciata da quella fiamma intima che l'adulterio ravviva, commossa, piena di desiderio, apriva la finestra, aspirava l'aria fredda, scioglieva al vento i capelli troppo pesanti e guardava le stelle augurandosi amori principeschi».

Inguaribile la nostra Emma. Ancora, dopo tutto quello che le è capitato, si augura «degli amori principeschi». Come se non avesse sbattuto abbastanza il naso contro gli spigoli della realtà, come se non avesse bevuto «fino alla feccia» il vino degli amori clandestini.

Un giorno, non avendo di che pagare l'albergo, Emma consegna a Léon sei cucchiaini d'argento dorato che erano stati un regalo di nozze di suo padre, pregandolo di portarli al Monte di pietà. Léon obbedisce, per quanto scontento, ma «pensava che davvero la sua amante stava diventando troppo esigente e strana e che forse non avevano tutti i torti a volerla allontanare da lui».

La madre di Léon infatti ha ricevuto una lettera anonima in cui si dice che il figlio si «stava perdendo con una donna sposata». E «la povera vecchia, intravvedendo l'eterno spavento delle famiglie, la vaga creatura perniciosa, la sirena, il mostro che abita fantasticamente le profondità dell'amore» scrive al datore di lavoro di Léon. E questi manda a chiamare il suo impiegato per chiedergli di rompere una «simile pericolosa relazione». Léon, alla fine, promette di non vederla più. Ma, in realtà, continua a frequentarla di nascosto e con molti sensi di colpa.

Léon, in modo più gentile e sensibile, fa gli stessi calcoli di Rodolphe: fra poco diventerà «primo sostituto» e non è il caso di perdersi in amori sbagliati. «Ogni borghese» commenta Flaubert, «nel calore della sua giovinezza, anche se solo per un giorno, per un minuto, si è creduto capace di immense passioni, di alte imprese.»

Sappiamo dalle lettere cosa Flaubert pensi dei borghesi. La sua è una polemica insistita, rabbiosa. «Ed ecco un fossile che comincio a conoscere bene (il borghese)! Che mezzo carattere, che mezza volontà, che mezze passioni. Come tutto nel suo cervello è fluttuante, incerto e debole! Oh uomini pratici, uomini d'azione, uomini sensati, come vi trovo inabili, addormentati, limitati!» (*16 agosto 1853*)

Forse questo era il solo rimprovero che non faceva

a Louise, di essere borghese, e forse per questo l'amava, quando l'amava.

Intanto, nel romanzo, Emma diventa sempre più lunatica. In mezzo all'amore scoppia in singhiozzi o in risate inaspettate e sinistre, parla da sola, aggredisce il suo Léon, lo rimprovera, lo tormenta.

«Il suo cuore di innamorato, come quello di coloro che non sopportano più di una certa dose di musica, diventava indifferente al chiasso di un amore di cui non distingueva più le delicatezze» dice Flaubert di Léon.

Non è che Emma non sia, almeno un poco, consapevole della stanchezza del loro amore. «Aveva finito per ritrovare nell'adulterio tutti i luoghi comuni del matrimonio.»

Anche Léon, come Rodolphe, si arrovella chiedendosi «come liberarsene». Liberarsene, senza s'intende fare troppo brutta figura, senza farla soffrire troppo, senza macchiare la sua reputazione di uomo d'onore, senza sollevare le collere insensate di lei.

Non bastava la freddezza, la lontananza, qualche parola malevola. Emma «gridava e tempestava» accampando i suoi diritti di innamorata ed era quasi impossibile sfuggirle.

Le stesse preoccupazioni angustiavano il giovane Flaubert: come liberarsi di Louise senza suscitare delle collere tempestose che minacciavano di travolgerlo? come allontanarsi senza che lei ne parlasse con tutta Parigi facendolo passare per un bruto? o senza ferirla a morte? cosa di cui avrebbe sentito il rimorso per anni?

«Mi ami sempre. Grazie di tanto amore» scrive in una lettera del 15 gennaio del '47, dopo solo un anno di conoscenza, «c'è di che colmare un cuore arido. Ci sono dei tesori davanti ai quali ci si siede malinconici pensando che non fanno per noi.»

«Avrei voluto amarti come tu mi amavi, mi sono battuto invano contro la fatalità della mia natura, niente, niente [...] Amando più di tutto la pace e il riposo, non ho mai trovato in te altro che turbamento, tempesta, lagrime o collera. Una volta mi hai tenuto il broncio per avere detto ad un cocchiere di riportarti a casa tua e che figuraccia hai fatto alla cena con Max, che sfuriata alla stazione perché non ero venuto ad un appuntamento! [...] Ma non ti rimprovero niente, non era in tuo potere evitarmi tutto questo più di quanto non fosse in mio potere non soffrirne [...] sentimentalmente e intellettualmente [...] Le scenate che mi hai fatto a casa di Du Camp e all'albergo dove ti sei fatta portare due volte per chiedere se ero partito mi hanno messo molto in ridicolo. Ho la debolezza di amare il decoro. [...] Oh, perché, perché dunque ancora una volta, ti ho conosciuto? Quale colpa, povera donna, stai espiando? Meritavi certo qualcosa di meglio.» *(7 marzo 1847)*

Sembra strano sentire Flaubert che parla di «decoro». Ma a questo punto qualsiasi scusa è buona per arginare la passione di Louise. E lui mescola la tenerezza alla franca sincerità: «Le tue idee di moralità, di patria, di dedizione, i tuoi gusti letterarii, tutto questo era antipatico alle mie idee e ai miei gusti [...] Hai voluto cavare sangue da una pietra. Hai scalfito appena la pietra e ti sei insanguinata le dita». *(7 marzo 1847)*

Anche Emma Bovary si accorge, nonostante le recriminazioni continue e le aggressioni amorose nei riguardi di Léon, che il loro non è più amore. «Per quanto si sentisse umiliata dalla bassezza di una tale felicità, vi si aggrappava per abitudine, per corruzione.»

L'idea della «corruzione» di Emma torna insistente mano mano che ci avviciniamo alla fine, quasi per preparare il lettore alla brutale punizione che le sarà inflitta.

La ferocia della punizione non potrebbe essere accettata se Emma non fosse arrivata al fondo di quella che Flaubert chiama «la sua depravazione». E con questa parola non intende solo l'adulterio, ma la scoperta, sempre più compiaciuta, sempre più arrogante del piacere e della libertà.

Ed è qui che nasce l'equivoco con i lettori, anzi con le lettrici. Emma Bovary, nonostante le nefandezze del suo pessimo carattere e delle sue stupide letture, persegue un suo sotterraneo e tenace sogno di libertà. Che oscuramente intuisce consistere prima di tutto nella disobbedienza sessuale.

È come se Emma sapesse, in fondo al suo cuore rabbioso, che il punto più delicato di tutta la faccenda sta nel desiderio che anima il corpo femminile. Un desiderio che, per quanto distorto, malato, deformato, incompleto e larvale, si sottrae, con la sola sua esistenza, al controllo di una cultura che pretende la gestione della riproduzione e del piacere sessuale. Perciò Emma, in qualche modo, porta in sé il germe della rivolta.

Curioso destino, quello di Flaubert che, detestando ogni forma di letteratura in difesa degli offesi, dei derelitti o degli indifesi, si è trovato a fare da portavoce (controvoglia e con mille resistenze) a un archetipo della rivendicazione femminile alla libertà. L'oscuro motore dell'adulterio, sembra dirci Emma Bovary, attinge a una primitiva grossolana politica della liberazione sessuale femminile in un mondo che prescrive la sua negoziata sottomissione.

Il personaggio Emma, durante tutta la narrazione, tenta oscuramente di fare valere le sue ragioni che l'autore Flaubert sistematicamente condanna, liquida, schernisce. Ma la forza della rivolta di Emma, patetica, cocciuta, finisce per trapelare, al di sotto delle montagne di ludibrio di cui viene ricoperta, quasi suo malgrado. Da qui, penso, la popolarità del libro presso il mondo delle lettrici del secolo passato e di quello attuale. E la viva simpatia che Emma suscita, nonostante tutto.

Ormai Emma ha imparato a sdoppiarsi «viziosamente». Mentre continua a scrivere a Léon una lettera al giorno, pensa ad altro, insegue vecchi e nuovi fantasmi. Questi fantasmi «diventano tanto veritieri e accessibili che essa ne palpita stupita». Sono labili, confusi e attraenti fantasmi «fatti di sogni, che abitavano una contrada azzurrata in cui le scale di seta oscillano dai balconi sotto il soffio dei fiori, nel chiarore lunare».

Questa, dei fantasmi, è una piccola storia curiosa nel rapporto fra Gustave e Louise e certamente quest'ultima non deve essere stata felice di ritrovare l'idea utilizzata, anche se modificata, nel romanzo di lui.

I fatti, anzi le premesse: Louis Bouilhet manda a Louise Colet un suo poema dedicato a lei in cui elogia le «braccia bianche e i capelli d'oro». Louise, entusiasta, spedisce il poema a Gustave. Contemporaneamente ne manda una copia alla rivista «L'Artiste» perché lo pubblichi.

Flaubert, appena lo legge, va su tutte le furie. Scrive una lettera rabbiosa e supplicante alla bella Louise: «Non fare pubblicare quel poema. Te lo chiedo per favore. Ed ecco le ragioni: vi coprirebbe di ridicolo tutti e due. I giornalucoli che non hanno niente da fare, non mancherebbero di scherzare sugli "sguardi di fiamma", sulle "belle braccia bianche", sul "genio" e soprattutto su quel "regina mia". Quel "non toccatemi la regina" diventerebbe proverbiale. Se fossero buoni versi poi [...] ma il fatto è che sono assai mediocri (d'altronde li conoscevo e te ne avevo parlato). Tu stessa ti eri rivoltata contro questa mescolanza del fisico e del morale che trovo qui eccessiva e maldestra. [...] A parte la piccola gloria di un istante, nel vederlo stampato, ti farebbe seriamente del male [...] Noi siamo d'accordo che te ne scriverà un altro, più serio, più pubblicabile [...] ti scongiuro di riflettere, addirittura te ne supplico». (*1° settembre 1952*)

Louise interviene a precipizio presso «L'Artiste» perché non pubblichino il poema di Louis Bouilhet su di lei. Per fortuna fa in tempo e il poema non sarà stampato: come vuole Flaubert.

Il rapporto fra Louise, Gustave e Louis conosce degli strani alti e bassi. Gustave tende, per sua natura, a «mettere insieme» i suoi affetti. Anche Maxime Du Camp, nella prima parte della sua relazione con Louise, viene coinvolto, cooptato diremmo, anche controvoglia, invitato a fare da mediatore, da accompagnatore, da cuscinetto affettivo.

Guardando in prospettiva, però, si direbbe che Louis Bouilhet è stato nell'insieme più gentile, mentre Maxime Du Camp dimostra un vero e proprio gusto della crudeltà nei riguardi di Louise. Potremmo dire che tutte le sue lettere sono venate di una cocciuta, cinica volontà di ferire.

«Non ditemi che sono freddo e duro, prima di tutto sono vero: preferisco ferirvi che prendervi in giro: dalla vostra condotta di oggi dipende forse la vostra felicità futura [...] non aspettatelo prima di quindici giorni [...] addio buona e povera sorella, abbiate calma, coraggio e pazienza, e soprattutto lavorate: la vostra ultima parola è tristemente vera, voi l'amate troppo.» (*18 dicembre 1846*)

«La vostra prima lettera, che Gustave mi ha mostrato, era degna, calma e voi avreste dovuto attenervi ad essa» [...] «Siate coraggiosa e ascoltate: 1°) egli ha dell'affetto per voi: una viva amicizia, ma è tutto, credo; 2°) egli è capace di grandi sacrifici per voi, ma mai acconsentirà ad allontanarsi dalle sue occupazioni, nemmeno per un'ora sola; 3°) egli è stato, credo, profondamente ferito dagli elogi esagerati che voi avete fatto al suo *Novembre.* Non perché egli abbia creduto che voi lo volevate prendere in giro, ma perché egli ammira profondamente *René* al quale, a giusto titolo, considera *Novembre* fortemente inferiore, di fronte a *René* si inchina come di fronte al più grande capolavoro dello spirito umano. 4°) Mi ha ripetuto che non verrà a Parigi che per vedere il Salone, che rimarrà due giorni e poi partirà. Infine vi dico che il SOLO mezzo per conservarlo un poco è di tenervi a quella amicizia, a quel cameratismo su cui avete convenuto: essa appartiene al suo gusto, alle sue abitudini tanto quanto altri sentimenti se ne allontanano.» *(3 gennaio 1847)*

«Avevo l'intenzione di scrivervi queste cose, cara sorella: 1°) che Gustave è venuto molte volte ed è sceso da me; 2°) che se posso permettermi ancora di darvi un consiglio vi direi di non vederlo affatto; sarà il modo migliore di guarire al più presto il vostro cuore ferito; sempre comunque che ci teniate a guarirlo; 3°) che se volete avere Gustave presso di voi per qualche tempo sarà bene non fargli rimproveri di sorta e soprattutto di non piangere davanti a lui: egli è, sotto questo aspetto, come tutti gli uomini, non ama le recriminazioni e detesta la lagrime; vuole prima di tutto essere divertito, e il mezzo più certo per conservarlo sta nel non mostrargli affatto la vostra tristezza.» *(16 febbraio 1847)*

«Mi accusate ancora di ferirvi, non so perché: ho creduto, nel vostro interesse, di darvi due o tre consigli [...] mi credete falso e mentitore (forse Gustave è già da voi, mi dite); più tardi, povera sorella, riconoscerete che ho sempre avuto ragione e che se aveste seguito il mio consiglio oggi non soffrireste quello che soffrite.» *(16 febbraio 1847)*

«Non ho dato nessun ordine di tenervi fuori dalla mia porta [...] non sapevo che voi sareste venuta [...] se avessi saputo che era vostra intenzione venire da me, avrei avuto cura di prevenire la portinaia di farvi salire; precauzione inutile d'altronde poiché mai una donna ha messo piede in casa mia [...] Ecco il compendio della vita di Gustave a Parigi: è arrivato mercoledì sera; giovedì abbiamo girato insieme tutto il giorno per questioni di denaro, questioni così importanti che ho abbandonato tutto per aiutarlo; venerdì è venuto alle nove di mattina a passare dieci minuti da me e raccontarmi la morte del povero Félix [...] voi l'avete visto alle sei; poi è andato dalla signora D'Arcet, quindi è venuto da me alle undici più o meno, e dieci minuti dopo il suo arrivo ha avuto un attacco sul mio letto: non ve lo rimprovero, mia povera sorella, ma l'attacco è dovuto unicamente, ne sono tristemente convinto, a ciò che è successo fra di voi; alle tre di mattina l'ho riportato al suo albergo; il sabato l'ho curato e sorvegliato per tutta la giornata e devo confessarvi che non ha voluto sentirne di venire a trovarvi [...] È partito perché temeva un'altra crisi per oggi, domenica. Ciò che l'ha irritato oltre misura nel vostro incontro di venerdì è stata la vostra affermazione che lui aveva mentito. È una accusa imperdonabile, il suo orgoglio e il suo cuore sono stati mortalmente e irreparabilmente feriti da questo sospetto; come avete potuto accusarlo di menzogna, lui la cui franchezza è stata con voi qualche volta perfino brutale? [...] Oltre tutto Gustave, voi lo sapete, è l'uomo della Plasticità e voi non gli mostrate che un volto sfigurato dalle lagrime; egli ama l'armonia e tutte le volte che lo incontrate la vostra bellezza si contrae nelle smorfie del pianto e il vostro spirito e il vostro cuore non sanno fare altro che rimproveri qualche volta ingiusti [...] Non voglio trionfare ma ve l'avevo detto [...] ora è troppo tardi e non saprei più cosa dire, cosa fare per addolcire un poco i mali irrimediabili che voi avete inflitto a tutti e due. Gustave non ama il sentimento d'amore, ne è stanco, ne è ubriaco, come vi ha detto, ha troppo sofferto lui stesso per impietosirsi sulle sofferenze altrui. È uno di quegli uomini freddamente inflessibili che non ritornano mai sulle decisioni prese ed è una grande infelicità per voi averlo incontrato da Phidias. È andato via da Parigi, rattristato, esasperato, malato e pieno di una collera sorda e concentrata che mi ha fatto paura, non l'avevo mai visto così; il suo cuore adesso è pieno di tempesta, bisogna lasciarlo riposare. Sarà bene che vi teniate lontani, se posso darvi un suggerimento [...] Restate un anno senza vederlo, scrivendogli solo raramente [...] Se voi vi foste fatta guidare da me, vi avrei portato con lui a un legame inseparabile [...] ma voi avete voluto fare morire a tutti i costi il suo amore: chiusa in una serra bollente la povera pianta non ha potuto sopportarne la temperatura e si è seccata.» (*21 febbraio 1847*)

E in dicembre, finalmente, Maxime Du Camp esulta e scrive all'amico Gustave: «Ho spedito la tua lettera alla Musa [Louise Colet]. Lei mi ha rimandato la tua. È sublime [...] Proprio come la sognavo. Hai fatto bene, assolutamente bene. La vita sarebbe stata una rottura di scatole senza fine con quella donna là». (*27 dicembre 1847*) Questo, dopo la prima rottura di Gustave con Louise.

Louis Bouilhet si mostra invece più delicato. Il suo tono è più accorato, più partecipe, anche se accompagnato da guizzi di insofferenza ben comprensibile.

Louis Bouilhet è grato a Louise Colet perché è stata una delle prime a fargli avere un articolo elogiativo sui giornali. Louis scrive poesie e testi teatrali. E questo articolo elogiativo è stata una delle ragioni del riavvicinamento di Louise con Gustave. «Ti sono grato, sei generosa» le scrive nel '51 quando riprendono a vedersi dopo quattro anni di lontananza.

Bouilhet conosce Gustave da quando erano ragazzi.

C'è fra di loro un'amicizia profonda e duratura. Gustave lo voleva sempre con sé a Croisset. Insieme passavano i pomeriggi e le sere a correggersi a vicenda gli scritti.

Ciascuno di loro, poi, aveva una sua vita sessuale a parte; con le donne. Di queste donne parlavano fra di loro con complicità tutta maschile. Qualche volta se le scambiavano, se le «regalavano», se le vantavano a vicenda. Comunque, nessuna di loro doveva, per nessuna ragione al mondo, incrinare il rapporto d'amicizia che era considerato più solido e più profondo di ogni altro legame.

Avendo sbagliato con l'invio del poema di Louis Bouilhet, Louise spedisce a Flaubert un proprio poema intitolato *Fantômes* in cui si parla degli amori passati come di fantasmi letterari alla cui vista essa «palpita stupita». Fantasmi riconoscibili in quel «chiarore lunare» che Flaubert attribuisce ai sogni di Emma.

Per vendicarsi del poema troppo ingenuo ed elogiativo di Bouilhet Flaubert prende *Fantômes* e lo distrugge con gusto. Salvo poi servirsene per infierire sulla sua eroina in *Madame Bovary*.

«Era una bella idea» scrive all'amica, «l'inizio è magistrale! [Essa vedeva passare la silenziosa/ fila delle immagini amate/ che camminavano verso di lei/ gli occhi negli occhi/ ricordandole le lontane ore infiammate] [...] L'idea è buona, cara Louise, ma tu l'hai stremata a tuo piacere [...] È tutto da rifare [...] in altri termini il tuo poema è largo all'inizio come l'umanità e stretto alla fine come la distanza fra due cosce chiuse [...] dell'ultima parte non mi è piaciuto quasi niente.» (*1° settembre 1852*)

Una sera Emma decide di andare con Léon e i suoi amici a un ballo in maschera. Per l'occasione si infila un paio di pantaloni di velluto e delle calze rosse, «una parrucca alla catogan [acconciatura maschile settecentesca] [...]; ed «essa [balla] tutta la notte al suono dei tromboni in mezzo agli amici di Léon».

Verso l'alba si ritrova coi pochi rimasti, ormai ubriachi, fra alcune ragazze di «infimo ordine», a fumare e a bere il punch. A questo punto rivolge verso se stessa lo sguardo stanco e scopre di avere tutti i vestiti sgualciti, di essere ebbra e di avere preso «un'aria da ragazza leggera». La vergogna l'assale come una rabbia insopprimibile verso se stessa.

Ma, per quanto sincera, ci dice Flaubert, non riesce a sfuggire al solito tono melodrammatico. «Essa avrebbe voluto fuggire come un uccello [...] nei grandi spazi immacolati.» E mentre dice così, si fuma un'ultima sigaretta profumata.

Ancora una volta troviamo il tema dell'androginia legato alla sensualità notturna, all'indulgenza verso i sensi, a un'idea un poco ingenua, se vogliamo, di vizio, di depravazione. Emma, per godere liberamente della festa si traveste da uomo e in quel travestimento c'è tutta la malinconia di una volontà di potenza senza strumenti. Ci appare francamente patetica come patetici sono quelli che vogliono ma non possono, che hanno desideri più grandi di loro e si atteggiano a qualcosa che non sapranno mai essere.

Qualche mattina dopo, in casa Bovary arriva l'ordine di sequestro di tutti i mobili. Il dottor Charles deve pagare entro ventiquattro ore la somma di ottomila franchi. Una cifra enorme di cui pochi a Yonville avrebbero potuto disporre. Figuriamoci Charles Bovary, piccolo medico condotto che non riesce nemmeno a farsi pagare dai suoi clienti.

Emma riceve l'ingiunzione mentre il marito è ancora fuori. Pensa di rimediare in qualche modo prima che torni e, di corsa, va a trovare Lheureux. «È uno scherzo certamente» gli dice rabbiosa. E lui risponde secco che fa sul serio, questa volta dovrà pagare.

«Essa fu vile, lo supplicò e arrivò anche ad appoggiare la piccola graziosa mano bianca sul ginocchio del mercante.» Ma lui si scosta seccato. «Si direbbe che vogliate sedurmi» dice malevolo.

«Siete un miserabile» gli grida lei, [...] «lo dirò a mio marito.» «Sarò io a dire a vostro marito qualcosa che vi riguarda» ribatte Lheureux e tira fuori dalla tasca una cambiale per milleottocento franchi che lei gli aveva firmato a suo tempo.

Questa è una delle scene più spietate nei riguardi di Emma. Flaubert lo sa e sembra felicissimo di infierire: la richiesta di una ennesima proroga che si accompagna a un tentativo di seduzione, «la piccola mano bianca» che si posa sul ginocchio dell'odiato mercante. Il rifiuto di lui. E la immediata, offesa, indignazione di lei. Il suo pudore offeso e la minaccia di parlarne al marito. Che suscita la malvagità, a questo punto giustificata, di Lheureux.

Emma ne esce screditata, più gravemente che mai: falsa, vile, ricattatoria, mentitrice, pronta ad amoreggiare col ripugnante Lheureux pur di strappargli una ennesima proroga. Che più?

Insomma, e questo è il pensiero flaubertiano che torna tante volte nel libro, Emma non è condannabile perché tradisce il marito ma per il suo carattere volgare, per la sua ricerca fredda ed egoista di un piacere

che nemmeno lei sa cos'è, per il suo stupido attaccamento ai miti letterari più fasulli, per il suo sentimentalismo di quart'ordine.

Ci si chiede se, dietro le sue rassicurazioni di stima,
sempre fatte a bocca storta, Flaubert non avesse, nei riguardi di Louise Colet, lo stesso lucido e sprezzante giudizio che mostra di avere nei confronti di Emma.

D'altronde, proprio in alcune lettere a Louise del
secondo periodo, quelle in cui la chiama in continua-
zione «povera anima», «povera cara», «mia povera
donna», le scrive a proposito di *Madame Bovary*: «Sarà
credo la prima volta che si vedrà un libro che si prende
gioco della sua giovane protagonista e anche del suo
giovane prim'attore. L'ironia non toglie niente al patetico. Anzi, lo ingrandisce. Nella terza parte, che sarà
piena di cose farsesche, voglio che si pianga». (*9 ottobre
1852*)

«Francamente ci sono dei momenti in cui ho quasi
voglia di vomitare, fisicamente, tanto il fondo di *Madame Bovary* è basso.» (*13 marzo 1853*) «*Saint'Antoine*
non mi ha richiesto che un quarto della tensione che la
Bovary mi causa. Era un diversivo; non ho avuto che
piacere a scriverlo [...] ora debbo entrare dentro pelli
che mi sono antipatiche.» (*6 aprile 1853*)

Ed ecco, siamo al giorno del sequestro. In casa Bovary arrivano gli ufficiali giudiziari per l'inventario dei
mobili e degli oggetti. Emma li affronta «stoicamente».
Ma è ancora convinta, nella sua testa di sognatrice, di
potere in qualche modo rimediare e nascondere la cosa
a suo marito. Appena usciti gli ufficiali, infatti, si precipita a Rouen a cercare qualcuno che le faccia credito.
Ma due banchieri a cui si rivolge la mandano gentil-
mente al diavolo.

Non sapendo a chi altro chiedere, Emma, rintuz-
zando il suo orgoglio, va a trovare Léon. Lo abbraccia,
lo bacia, gli fa credere che è venuta solo per salutarlo e
poi, improvvisamente, gli dice che ha bisogno, subito,
di ottomila franchi. «Sei pazza» risponde lui. Lei gli

spiega che il marito non ne sa ancora niente, che i creditori torneranno fra poche ore, che se non trova il denaro lei è perduta. Solo lui può aiutarla. «Ma come?» chiede Léon preoccupato. E lei subito, aggressiva: «Sei un vigliacco, un incapace». Infine lo convince ad andare a racimolare per lo meno tremila franchi, facendogli capire che è un suo preciso «dovere sentimentale». «Ma dove li prendo?» insiste lui disperato. «Dove lavori» dice lei imperterrita. E lui impallidisce. «Un ardimento infernale emanava dalle sue pupille infiammate.» Insomma, Emma sta spingendo Léon al furto. E per giunta presso il suo datore di lavoro.

A questo punto Léon è davvero terrorizzato, ma non riesce a reagire apertamente. Perciò procederà con furbizia dicendole che forse, sì, un amico c'è che potrebbe prestargli dei soldi, che cercherà, farà, «ma se non mi vedi tornare entro tre ore, non mi aspettare».

Emma rientra a Yonville sconfitta, dopo un'attesa di oltre tre ore, maledicendo la vigliaccheria di Léon. Sui muri della città trova i manifesti in cui si annuncia la vendita di tutti i suoi mobili. Ma ancora non riesce a darsi per vinta. C'è sempre il notaio Guillaumin, si dice, come non averci pensato prima! È amico di Lheureux e anche di Charles, certamente l'aiuterà.

Una caratteristica di Emma, come anche di Louise, è di non capire il prossimo. L'istinto la porta sempre a indirizzarsi alla persona sbagliata nel momento sbagliato, a non indovinare il tono, a prendere fischi per fiaschi. E questo perché, come suggerisce Flaubert, invece di guardare in faccia la gente, guarda loro «nel cuore», ovvero in un'idea astratta di cuore con la C maiuscola.

Emma si precipita nella casa buia di maître Guillaumin e lo trova che mangia una cotoletta accompagnandola con una tazza di tè. Gli chiede subito, senza tante cerimonie, un prestito di mille franchi. Lui la guarda incuriosito. Non dice né sì né no. Ma intanto «tese la mano, prese quella di lei, la coprì con un vorace piccolo bacio. Poi la tenne sul ginocchio giocando delicatamente con le dita di lei, mentre le diceva delle cose dolci».

Qui Emma, dopo un inizio accondiscendente (lascia la mano posata sulle ginocchia del notaio a farsi accarezzare le dita), improvvisamente cambia tono e reagisce duramente. Forse per la paura di ripetere l'errore fatto con Lheureux; forse perché questa volta non è lei a sedurre ma lui a chiedere, e questo la fa sentire insultata anziché lusingata, o forse perché ancora una volta il piacere della recita prevale sul resto (e Flaubert ci fa capire che questa è in fondo la vera ragione); fatto sta che si tira indietro indignata. E mentre si tira indietro ripete la sua domanda di denaro, con più arroganza di prima. Ma il notaio, che non ha ancora capito il suo voltafaccia, si butta in ginocchio dicendo: «*Je vous aime, Emma*». Quindi la prende per la vita cercando di baciarla. Ma Emma si scosta con «un'aria terribile» gridando: «Forse sono da commiserare, signore, ma non sono in vendita».

Tutto questo ricorda molto da vicino una scena che Louise racconta a Flaubert in una lettera persa ma che lui riprende e analizza in una sua risposta sarcastica. Il fatto narrato da Louise è il seguente: Alfred de Musset, che da tempo le fa la corte, l'invita un giorno a fare un giro in carrozza. Durante il tragitto le salta addosso. Louise cerca di fermarlo, ma non riuscendovi, apre lo sportello della carrozza e si butta di sotto in piena corsa, rischiando di rompersi l'osso del collo. Il giorno dopo, tutta ammaccata e pesta, scrive a Flaubert dell'accaduto. E lui si indigna, giustamente: «Lo bastonerei con delizia», dice di de Musset. «Se mi pesterà ancora il piede, gli caccerò questo piede nel ventre [...] Ah mia povera Louise, ti ho vista per un momento morta sulla strada con la ruota della carrozza che ti passava sul ventre e la zampa del cavallo che ti schiacciava la faccia [...] Oh, come vorrei che lui tornasse da te e che tu me lo mettessi alla porta davanti a trenta persone. Se ti cerca ancora scrivigli una lettera *monumentale* di cinque righe: "Perché non vi voglio più vedere? perché mi disgustate e perché siete un vile" [...] Tu però hai mancato di tatto in tutta questa faccenda. C'è dell'aria nella testa delle donne, come nel ventre di un contrabbasso. Invece di buttarti dalla carrozza in corsa dovevi rivolgerti al cocchiere e dirgli "fatemi il piacere di gettare fuori questo signor Alfred de Musset che m'insulta".» *(7 luglio 1852)*

Ma questo non rientrerebbe nel carattere di Louise la quale, a suo tempo, per la rabbia di un articolo offensivo, entrò di soppiatto nella casa del giornalista Alphonse Karr e gli si avventò contro brandendo un coltello. Naturalmente fu tanto impetuosa e pasticciona che il giornalista poté strapparle di mano il coltello e metterla alla porta, raccontando il giorno dopo l'accaduto a tutta Parigi.

Dopo avere ricevuto la lettera del suo amato Gustave, Louise pensa, esattamente come farebbe Emma Bovary al suo posto, che potrebbe scapparne un duello e scrive a Flaubert pregandolo di «non infierire».

Al che lui risponde sarcastico: «Hai l'aria di supplicarmi di non ucciderlo, come se fossi un rodomonte e avessi usato delle frasi guerresche [...] Rassicurati, non cercherò affatto l'occasione per una rissa». *(12 luglio 1852)*

Quello che Louise non scrive a Flaubert è che lei e Alfred de Musset avevano già fatto l'amore e si vedevano regolarmente. Solo che spesso litigavano perché lui beveva troppo e quando beveva diventava manesco e grossolano, era preso da desideri di stupro. Una volta, tornando da una passeggiata al Bois, lui aveva fatto fermare la vettura ben tre volte, come racconta lei nel suo diario, davanti alle mescite di vino per bere dell'assenzio.

Ma torniamo a Emma ritta in piedi di fronte al notaio Guillaumin il quale le si è inginocchiato davanti. E lei si scosta indignata.

Flaubert a questo punto le mette in bocca una frase che più teatrale e più finta non potrebbe essere: «Forse sono da commiserare, signore, ma non sono in vendita». Che suonino le trombe e i tamburi! Chi poteva credere alla sua buona fede dopo che precedentemente era stata lei a tentare di "vendersi" al commerciante Lheureux (salvando le forme naturalmente) per non pagare i debiti? Povera Emma, senza pace di fronte al giudizio implacabile di Flaubert, non riesce mai a mostrarsi un poco umana.

Eppure qualche lettore dell'epoca si compiaceva del rifiuto teatrale di Emma come di un giusto dovere compiuto; il segno di una rivolta morale della protagonista contro l'abuso e il ricatto. Ma non faceva i conti con l'autore che, ritto in un angolo, ha osservato tutta la scena con occhio scettico e ora ci spiega che «il disappunto dell'insuccesso rinfocolava l'indignazione del suo pudore oltraggiato; le sembrava che la Provvidenza si accanisse a perseguitarla e se ne inorgogliva, mai aveva avuto tanta stima di sé e tanto disprezzo per gli altri: qualcosa di bellicoso la trasportava. Avrebbe voluto battere tutti gli uomini, tutti, sputare sui loro visi, distruggerli...».

E qui viene fuori l'animosità di Flaubert nei confronti delle rivendicazioni donnesche care alla sua amica Louise. «Tu mi dici [...] che le donne non sono libere. È vero. Si insegna loro a mentire regolarmente, si raccontano loro tante di quelle menzogne. E nessuno si trova mai in condizione di dire loro la verità [quest'ultima frase è sottolineata]. E quando si ha la disgrazia di essere sinceri, esse si irritano contro questa stranezza. Ciò che io rimprovero loro soprattutto è questo bisogno di poetizzare. Se un uomo ama una cameriera, saprà che è stupida ma ciò non gli impedirà di godere di lei. Ma se una donna fa l'amore con un cafone qualsiasi, lo trasforma subito in un genio misconosciuto, un'anima eletta.» *(24 aprile 1852)*

E ancora, sempre rispondendo ai rimproveri e agli entusiasmi egalitari di Louise: «Le donne non sono franche con se stesse [...] Esse prendono il loro culo per il loro cuore e credono che la luna stia lì in cielo per illuminare il loro boudoir. Il cinismo, che è l'ironia del vizio, manca loro del tutto o se per caso ce l'hanno, è una affettazione. La dissolutezza della cortigiana è un mito. Mai una donna ha inventato una dissolutezza. Il cuore delle donne è un pianoforte su cui l'uomo, artista egoista, si compiace di suonare delle arie che lo fanno brillare e ogni tasto parla per lui». *(24 aprile 1852)*

Oggi, naturalmente, sarebbe facile rispondere che i difetti di cui lui parla erano i difetti dell'epoca, di una condizione femminile di dipendenza e di conseguente "isterismo" da prigioniera. Ma Flaubert, come Louise, tendeva a razionalizzare le sue esperienze.

Di Emma Flaubert scrive: sapeva che il marito le avrebbe perdonato qualsiasi cosa. Perciò sarebbe stato logico andare da lui a chiedere soldi. E invece no. «L'idea della superiorità che avrebbe avuto Charles su di lei la esasperava. Come subire, poi, il peso della magnanimità di lui?» Insomma, ancora una volta, Emma non si affanna per nascondere il malfatto perché se ne vergogna, o perché ha un vago senso di colpa o per non ferire il marito o per non mettere sul lastrico la figlia, ma solo per non trovarsi in stato di inferiorità rispetto all'uomo con cui vive.

Scartando per questi meschini motivi il suo Charles che l'avrebbe certamente capita e aiutata, non è neanche tornata a casa che già ne esce per andare a chiedere aiuto a qualcun altro. E naturalmente sceglie la soluzione peggiore, quella che ancora una volta dimostra la sua scarsa conoscenza delle persone che pure ha frequentato e amato.

Non capire l'animo di chi ci sta vicino significa prevaricare la realtà coi sentimenti, significa mistificare, trasformare le cose a nostro piacere. Altro grave difetto che Flaubert imputa a Louise Colet. La quale, nella sua generosità sentimentale, sovraccarica le persone che la circondano di pregi e difetti spesso inesistenti, secondo l'ammirazione, la tenerezza, o la freddezza che costoro mostrano nei suoi confronti, senza nessuna oggettiva capacità di osservazione e di giudizio.

Così Emma, come avrebbe fatto Louise, va a chiedere aiuto alla persona meno indicata. Le sarebbe bastato un minimo di intelligenza psicologica per capire che quella era la peggiore delle idee. E invece, presa dall'irruenza della fretta, dal ricordo di qualche momento di estasi, si precipita dall'ex amante Rodolphe Boulanger. Lui è ricco, si dice, l'ha amata, l'aiuterà.

Lo trova seduto davanti al fuoco che fuma la pipa. Quando lei entra, lui ha un momento di sorpresa, ma subito le sorride amichevole. Ha ancora dei rimorsi da smaltire e poi pensa che sia venuta per parlargli del suo amore. Forse soffre ancora per lui, perché non sorriderle?

D'istinto, Emma gli prende le mani, gli dice: «Ti ho tanto amato». Comincia insomma con «intuito finissimo» a usare le armi della più elementare delle seduzioni. Lo adula «con gesti graziosi da gatta in amore» commenta Flaubert e francamente, per una volta, ci delude proprio sulla scelta della metafora. L'immagine della «gatta in amore» è convenzionale, indegna di una penna preziosa e ricercata come la sua.

«Ami altre donne, lo capisco» continua Emma dolce, «certo, sei un uomo [...] ma ricominceremo, non è vero, ci ameremo di nuovo?» Ancora una volta bugiarda, ricattatoria. Come poteva pensare di cavarsela, anche se lui le avesse prestato i soldi?

Eppure Flaubert si ferma nella narrazione dei fatti per confidarci la sua ammirazione: «Era bellissima» scrive, «con quello sguardo in cui tremava una lagrima come l'acqua di un uragano dentro un calice azzurro».

Ma non erano neri gli occhi di Emma? Entriamo qui nelle zone azzurrine dell'eros flaubertiano. Che sia il ricordo degli occhi azzurri di Louise?

Emma era «bellissima» quindi. D'altronde se non fosse bellissima come si giustificherebbe la tentazione di un tipo come Rodolphe? Un amore finito che torna a farsi vivo, una donna che si è abbandonata per noia, come può suscitare desiderio se non attraverso una leggera ubriachezza dei sensi che cancella la memoria del passato?

Rodolphe, credendo che lei sia lì per rinnovare un vecchio amore, la attira a sé, commosso da tanta tenacia, le accarezza con il dorso della mano le due bande di capelli neri, «su cui al chiarore del crepuscolo scintillava, come una freccia d'oro, l'ultimo raggio del sole».

Ancora una volta sarà solo la bellezza a commuovere Flaubert; di Emma non ha nessuna stima e lo vedremo fra poco. Nemmeno di Rodolphe a dire il vero. Sono due persone poco ammirevoli che stanno per esprimere il peggio di sé.

«Ma tu hai pianto», dice baciandole le palpebre, intenerito al pensiero di quanto lei abbia sofferto per colpa sua. Emma scoppia in singhiozzi. Lui è ancora più lusingato, «credette che fosse una esplosione d'amore».

«Perdonami» le dice in un impeto di generosità «tu

sei la sola che mi piaccia. Sono stato imbecille e cattivo. Ti amo, ti amerò sempre. Ma che hai?»

A questo punto, fidando in queste parole d'amore, Emma confessa rabbiosa e sincera: «Sono rovinata, Rodolphe, devi prestarmi tremila franchi».

Al che lui si fa improvvisamente serio. Tutta la commozione di prima svanisce in un attimo dalla sua faccia pallida. «Dunque è per questo che è venuta» pensa furioso. E la sua risposta è fredda e decisa: «Non li ho, cara signora».

«Una richiesta di soldi» commenta Flaubert, «di tutte le burrasche che cascano sull'amore è la più fredda e sconvolgente.»

«Non li hai» ripete lei calma più volte, come parlando a se stessa, «avrei dovuto risparmiarmi questa ultima umiliazione.» Ma subito, al suo solito, sostituisce la mortificazione con l'aggressività: «Tu non mi hai mai amata» incalza rabbiosa, «non sei meglio degli altri».

«Ella si tradiva, si perdeva» commenta Flaubert con un moto di pietà sincera. Ma Emma sembra che provi gusto proprio a «perdersi». Non contenta della reazione suscitata nell'ex amante con la sua richiesta, lo assale con una predica ricattatoria e minacciosa che non può che peggiorare le cose rendendola odiosa e riprovevole.

«Non mi fai affatto pena» comincia irosa «ma quando si è davvero poveri non ci si regala una impugnatura d'argento per il fucile, non si compra un orologio a pendolo incrostato di tartaruga [...] non gli manca niente al signorino, perfino il portaliquore in camera da letto [...] tu vivi bene, possiedi un castello, dei campi, dei boschi, tu cacci, tu ti diverti, tu viaggi [...] Ma tienilo pure il tuo denaro, non lo voglio!»

Ci si chiede, col fiato sospeso, fino a che punto arriverà l'impudenza di Emma, la sua sciocca ribalderia. Ma sembra ormai irrefrenabile, lanciata com'è per la china della peggiore esibizione di sé.

«Senza di te avrei potuto vivere felice» gli grida

«ecco il posto qui sul tappeto su cui, inginocchiato, mi giuravi eterno amore [...] la tua lettera mi ha spezzato il cuore. E ora vengo da lui, da lui che è ricco, felice, libero, per implorare un soccorso che il primo venuto darebbe di cuore, supplicandolo e portandogli tutta la mia tenerezza e lui mi respinge perché ciò gli costerebbe tremila franchi.»

«Non li ho» ripete lui impassibile «con quella calma perfetta di cui si ricoprono come di un usbergo le collere rassegnate.» E qui, nonostante il suo giudizio sprezzante verso Rodolphe, Flaubert non può fare a meno di prendere le sue parti.

Quella «collera rassegnata» lui la conosceva bene, le sue lettere a Louise ne sono piene, colme fino all'orlo. E ci si chiede, perplessi, cosa l'abbia spinto a tirare in lungo un rapporto che gli procurava tanti fastidi e tante «collere rassegnate». Ma rassegnate perché? Non era mica costretto a restare con Louise, non l'aveva sposata, né le aveva mai promesso niente. Cosa lo tratteneva e perché?

A qualcuno potrebbe venire in mente, soprattutto leggendo le lettere della seconda parte del loro amore, che lo scrupoloso Gustave avesse bisogno di tenersi davanti il modello della sua eroina letteraria. E certamente la collera rassegnata gli ispirava il giusto furore narrativo.

Questa tesi potrebbe essere provata dal fatto che, appena finisce di scrivere *Madame Bovary*, Flaubert cessa ogni rapporto con Louise. E otto anni di amore e collera cadono nel nulla.

Ma probabilmente le cose sono più complicate e l'amore per Louise, per lo meno l'amore per il corpo di Louise, nella sua bellezza azzurrina e androgina, lo prendeva fino al punto di non riuscire, nonostante il giudizio negativo, l'insofferenza, il rifiuto di vederla più di una volta ogni due mesi, a troncare il rapporto.

Emma Bovary, tornando a casa dopo avere fallito l'ultimo tentativo di trovare dei soldi, passa dalla farmacia di Homais e chiede del veleno per i topi. Homais non c'è nella bottega in quel momento e il giovane di bottega Justin, intimidito dalla figura di lei che gli «apparve bella e maestosa come un fantasma», si fa strappare la chiave del ripostiglio dalle mani. Emma vi entra, afferra il barattolo, immerge velocemente le dita nell'arsenico e se ne riempie la bocca. Poi fugge via lasciando il ragazzo stordito e spaventato.

Charles intanto è tornato, ormai consapevole del disastro, l'ha cercata dappertutto ed è in pena per lei. Andrà in rovina, il suo nome sarà compromesso, pensa, ma quello che lo angoscia di più in quel momento è la sparizione della moglie.

Ed eccola che arriva, sudata, ansante, in preda a una esaltazione nervosa che le contrae la faccia. «Che hai?» le chiede Charles cercando di trattenerla. Ma lei lo scansa, va a chiudersi in camera dopo avere scritto un breve biglietto che gli consegna dicendo: «Lo leggerai domani».

Un altro grave errore di precipitazione. L'arsenico, pensa Emma, le darà una morte rapida e indolore. Ma si tratta di un altro sogno. L'agonia sarà lunghissima e terribile. E Flaubert, con crudeltà, ci costringe a seguire tutte le fasi dell'avvelenamento, senza trascurare neanche un dettaglio.

Probabilmente altri scrittori si sarebbero fermati qui. Ma lui no. E in questo chiedere al lettore di assistere impassibile ai particolari più raccapriccianti di questa morte c'è un'idea naturalistico-veristica della scrittura, ma c'è anche un'ultima testimonianza della ripugnanza che l'autore nutre verso il suo personaggio, un compiacimento quasi da giustiziere.

Quando il veleno comincia a fare effetto Emma ruota la testa, con un movimento «dolce, pieno di angoscia». Nello stesso tempo chiede da bere perché ha «sulla lingua un orribile sapore di inchiostro». Flaubert aveva letto libri e testimonianze, aveva interrogato il fratello chirurgo, aveva visitato gli ospedali per documentarsi sulla morte da avvelenamento. Ma quel sapore d'inchiostro lo conosceva anche lui. Prendendo giornalmente delle dosi di mercurio per curarsi la sifilide, aveva spesso la lingua nera e proprio quel sapore di inchiostro fra i denti.

Charles appoggia una mano sullo stomaco della moglie che manda un grido. Che fare? Ancora non ha capito da cosa dipende quel malore. Intanto il corpo di lei viene preso dalle convulsioni. Finalmente Charles si decide ad aprire la lettera, contravvenendo all'ingiunzione di lei: «La leggerai domani». Nella lettera è detto che ha ingoiato il veleno.

A sentire quella parola Charles comincia a tremare, le mani gli vanno ai capelli, i piedi lo portano su e giù per la stanza facendolo urtare contro i mobili. Non ha nemmeno la forza di chiedere aiuto.

Sarà Félicité, la cameriera, ad andare a chiamare il farmacista Homais che a sua volta spedisce l'assistente da un medico di Neufchâtel.

Charles, smarrito, terrorizzato, non riesce a prendere una decisione. Se ne sta inginocchiato accanto al letto chiedendo alla moglie: «Perché? Non eri felice, è stata colpa mia, eppure ho fatto tutto quello che potevo per te».

«Sì» risponde lei con un filo di voce, accarezzandogli la testa «tu sei buono». «Ormai non sentiva più che l'intermittente lamento del suo povero cuore, dolce e indistinto come l'ultima eco di una sinfonia che si allontana.»

Questa parola «cuore» è molto presente nella scrittura di Flaubert. Ed è curioso, vista la sua insistenza nel rifiutare ogni sentimentalismo, ogni retorica dell'«Amor nel cor». Il fatto è che il cuore da lui viene visto spesso come un pezzo anatomico, un muscolo di carne piuttosto che come la sede dei sentimenti.

«Te l'ho detto, ho la pelle del cuore come quella delle mani, callosa» scrive a Louise il 31 agosto 1846. «Fagli prendere un bagno d'amore, se vuoi, al tuo povero cuore, ma non annegarlo.» (2 settembre 1846) «Il mio cuore ha l'imboccatura stretta e ostruita, il liquido non ne esce facilmente, risale la corrente e vortica. È come la Senna a Quillebeuf, tutta piena di bassifondi mobili, in cui molte navi hanno fatto naufragio.» (20 dicembre 1846) «Questo cuore in cui sono fermentate nella solitudine le passioni, le fantasie, i sogni di un altro mondo, ora è bitorzoluto e sbilenco come un vasellame fuori uso che, per quanto lo si asciughi e lo si sciacqui, manterrà sempre il freddo odore di tutto ciò che vi si è mangiato in passato.» (21 gennaio 1847)

Insomma c'è un gran parlare di cuori nell'epistolario Gustave-Louise, solo che il cuore di cui parla lui è scarnificato, calloso, bitorzoluto, indifferente, metallico, mentre il cuore di Louise è dolorante, gonfio di lacrime e di rimproveri, di slanci d'amore incontrollato, e di solitudine teatrale.

Ma torniamo alla interminabile agonia di Emma che è parte importante del romanzo di Flaubert. Ora la signora Bovary morente manda a chiamare la figlia. La bambina arriva nelle braccia della bambinaia. Ha i piedi nudi che sbucano da una camicia da notte troppo corta. Viene messa a sedere accanto alla madre e dopo averla guardata a lungo le dice: «Che occhi grandi hai, mamma». E ci sembra di sentire Cappuccetto Rosso alle prese col lupo cattivo. «Come sei pallida, come sudi!» continua la bambina. Ma Emma sembra non sentirla. La guarda fisso, tanto da spaventarla, le afferra una mano per baciarla. Ma la bambina si tira indietro atterrita. Lo sguardo della madre è lontano e raggelato. E poi chissà quali ricordi le passano per la mente, di spinte ricevute, di rifiuti ripetuti, di sgarbi inspiegabili.

Ci viene da chiederci: ma cosa pensava Flaubert del legame che unisce una madre a una figlia? Lo considerava diverso da quello che unisce una madre a un figlio? E qual era la sua idea dei doveri affettivi di una madre? Certo, per quanto lo riguardava, conosceva molto bene il rapporto che lega una madre a un figlio, ma che dire di una madre che ha una figlia sola?

Nel romanzo, Emma si dimostra una pessima madre, assolutamente disinteressata della salute, del benessere, del futuro o della felicità della figlia, incapace di darle qualcosa di più di un distratto e vago affetto che viene meno a ogni minimo malumore. Una madre che, pochi giorni dopo la nascita, abbandona la figlia nelle mani di una balia sporca e miserabile, fra mosche e topi, che poi la tira su come un'orfanella, malvestita e trascurata, la prende a spintoni in un momento di rabbia, tanto da farla andare a sbattere e ferirsi a sangue, che madre è? sembra chiedersi Flaubert.

Certamente questa è un'altra di quelle coincidenze che hanno offeso a morte Louise Colet all'uscita del libro. Perché mettere in evidenza tanti punti di riferimento che chiunque poteva riconoscere?

Emma, come Louise, è una donna sposata, e ha una figlia che trascura, secondo i canoni della vecchia educazione. Louise in realtà era molto affezionata alla figlia, ma per l'occhio del mondo quel suo portarsi dietro la bambina quando andava in carrozza col suo ultimo amante non era certo considerato segno di attenzione materna. Come spiegare che Louise non aveva i soldi per pagarsi una tata?

Emma, proprio come Flaubert descrive Louise nelle lettere, è possessiva, ambiziosa, appassionata, collerica. Emma, come Louise, mostra una grande disinvoltura nel cambiare amanti e allora questo suscitava scandalo.

Emma inoltre ha un marito inetto e debole, proprio come Louise che era legata maritalmente al giovane Hippolyte Colet, il quale sapeva dei suoi amori ma non se ne mostrava offeso.

Emma, come Louise, ha la mania degli scambi di oggetti-feticcio (ricordiamo il fazzoletto sporco di sangue ripreso nel romanzo, i guanti, le pantofoline a spicchi, la medaglia con l'incisione «Amor nel cor»). E così come Gustave trova detestabile e manierata questa abitudine in Louise, altrettanto la condanna in Emma. Anche se poi sappiamo che lui, segretamente, in casa sua, andava ad annusare i vecchi abiti che non buttava mai. E l'idea del fazzoletto sporco di sangue e delle pantofoline era stata sua prima che di Louise.

Emma, come Louise infine, amoreggia volentieri in carrozza, è portata a fare scenate, agisce con precipitazione senza riflettere, è egocentrica e invadente, ma anche generosa e gentile d'animo, impudente e allegra; ama le lunghe letture di pessimo gusto (o per lo meno quelle che Flaubert giudica tali e fra queste ci mette Victor Hugo e Lamartine).

Non era difficile per i contemporanei riconoscere in quella Emma adultera e arruffona la poetessa dalla ingarbugliata vita sentimentale che era stata l'amante di Flaubert per ben cinque anni.

Sì, è vero, Emma ha i capelli neri e Louise li ha biondi. Emma li porta divisi in due bande che scivolano sulle orecchie mentre Louise porta i boccoli ricadenti ai lati delle guance. E gli occhi di Emma sono neri mentre quelli di Louise sono azzurri (eppure per ben due volte Flaubert si sbaglia e chiama azzurri gli occhi di Emma, non è strano per un autore così preciso e accurato?).

Se voleva rendere irriconoscibile il personaggio perché ha lasciato tante tracce palesi che conducono verso la persona di Louise?

È certo, come dice Maxime Du Camp, che Flaubert per la redazione di *Madame Bovary* si è ispirato a un fatto di cronaca: il famoso suicidio della signora Delamare, adultera riconosciuta, di cui le cronache avevano parlato a lungo. È probabile che si sia ispirato ai diari di Ludovica Louise d'Arcet Pradier per alcuni particolari degli amori di Emma. Ma è altrettanto certo che in Emma c'è moltissimo di Louise Colet, sia nel carattere che nel comportamento.

Flaubert, però, considerava poco creativo e troppo personale ritrarre, anche se in segreto, qualcuno di propria conoscenza nei propri libri. E rimproverava Louise di non sapersi «trattenere» dal farlo lei stessa.

Le fa delle lezioni in proposito e la scoraggia minacciosamente dal pubblicare un testo teatrale in cui il filosofo Victor Cousin, suo vecchio amante, è troppo riconoscibile in un personaggio: «Poiché vuoi leggere la tua commedia all'Académie française voglio dirti praticamente cosa ne penso. Il "filosofo", sotto una trasparenza chiarissima, è sbeffeggiato, basterebbe quel finale in "in" [Dherbin] per farlo riconoscere da tutti; lui stesso vi si ravviserà e ti conserverà un rancore eterno. Fai male, per Henriette, e per te stessa prima di tutto [...] Attenua dunque, per quanto puoi, ogni rassomiglianza fra Dherbin e il filosofo. Fanne un legittimista, tutto quello che vuoi, al posto di un dottrinario eccetera. Rifletti, credo che questo consiglio sia importante per la tua vita, il tuo avvenire». *(2 maggio 1852)*

Louise fu molto amareggiata dalla pubblicazione di *Madame Bovary* che, contrariamente alle altre opere di Flaubert lette e rilette, la raggiunse di sorpresa, con la sgradevolezza di una secchiata d'acqua gelata in faccia. Ma non poteva dirlo apertamente perché sarebbe stato come ammettere di essere servita di modello a Emma e questo non poteva che nuocerle.

Per questo si limitò a tracciare un ritratto molto vago, e molto impreciso di Gustave, in fondo a un romanzo in cui si parla soprattutto degli amori di Alfred de Musset e di George Sand e del corteggiamento dello stesso Musset nei riguardi di Louise.

«Voglio gettare su quegli anni un velo nero come quello che copre, a Venezia, nelle famiglie patrizie, i ritratti dei condannati a morte» scrive Louise nel romanzo intitolato *Lui* e pubblicato nel 1864, parlando di Flaubert. «Ho visto l'orgoglioso e superbo solitario rinnegare a una a una tutte le sue dottrine sull'arte e l'amore e fare delle sue opinioni una moneta che inorgoglisce i meno fieri. Quando la coscienza non dirige più le nostre azioni, l'interesse e la vanità divengono i soli motori dello spirito, tutte le nozioni dell'onore e dell'ideale spariscono. [...] Di qui gli accordi ignorati, le voluttà crudeli che nascondono gli istinti di assassino sotto un sorriso e di facitori di affari umani pronti a ogni crimine mentre si fregiano in pubblico del titolo di uomini politici.» Altrove parla di *Madame Bovary* come del «romanzo di un commesso viaggiatore».

A sua volta Flaubert commenta all'amico Feydeau: «Vuoi distrarti? fammi (o piuttosto fatti) il piacere di comprare *Lui*, il romanzo contemporaneo di Madame Louise Colet. Ci riconoscerai il tuo amico conciato in un bel modo [...] Non puoi immaginare quanta sia la canaglieria [...] Io ne esco bianco come la neve, ma da uomo insensibile, avaro, insomma un cupo imbecille. Ecco cosa vuol dire aver "coitato" con le Muse. Ne ho riso fino a rompermi le costole [...] che cosa buffa mettere così la letteratura al servizio delle passioni e che tristi opere tutto ciò fa fare, sotto tutti i punti di vista». (*2 novembre 1859*)

In realtà il romanzo *Lui* non è affatto cattivo e neanche volgare. È semmai noioso e prolisso, tutto chiacchierato e romanticamente sfilacciato, linguisticamente sciatto e opaco. Ma sia de Musset che Flaubert sono trattati con molto garbo e qualche tenerezza. Per non parlare del personaggio centrale, Antonia Back, scrittrice famosa (George Sand), che è ritratta come una donna di grande talento, di volontà ferrea, e di profonda ironia

Flaubert invece fa di tutto per screditare la sua ex innamorata: «La mia relazione con Madame Colet» scrive ad Amélie Bosquet nel novembre 1859, «non mi ha lasciato nessuna ferita nel senso sentimentale e profondo della parola; piuttosto il ricordo (e ancora oggi la sensazione) di una irritazione prolungata. Il suo libro è stata la goccia che ha fatto traboccare il vaso».

Certo Flaubert era un grande artista e Louise Colet non lo era, ma il primo a denigrare la sua amante nei suoi scritti è stato proprio lui. Senza nessun ritegno nel «mettere la letteratura al servizio delle passioni». Le cose che scrive lei nel suo moderato romanzo sono ben piccola cosa rispetto al monumento grottesco che le ha fatto lui in *Madame Bovary*.

Un breve esame delle date certo non migliora l'idea che ci si può fare dell'utilizzazione del modello per i suoi scritti da parte del grande romanziere.

Flaubert e Louise Colet si conoscono nel 1846. Dopo i primi mesi di entusiasmo Gustave prende a scrivere lettere sempre più evasive, a volte francamente offensive. Ma non per questo smette di vederla, raramente per la verità, molto raramente e sempre di corsa. Si infittisce al contrario l'epistolario. Lei gli ha chiesto, proprio come Emma, «una lettera al giorno». E lui, dopo avere un po' nicchiato, acconsente.

Il 25 agosto del '48 Gustave scrive a Louise una letterina laconica che consiste solo in queste parole: «Grazie del regalo. Grazie dei vostri bei versi. Grazie del ricordo». E basta. La relazione è finita dopo due anni di incontri furtivi e centinaia di lettere. Lui parte per l'Oriente con Maxime Du Camp.

Il 26 luglio 1851, tornando da un viaggio, Flaubert manda una lettera a Louise: «Vi scrivo perché "il mio cuore mi porta a dirvi qualche buona parola" [...] Povera amica, se potessi rendervi felice, lo farei con gioia, non sarebbe che giusto. L'idea che vi ho tanto fatto soffrire mi pesa. Non lo capite? Ma questo non dipende [...] né da me né da voi, ma dalle cose stesse».

Il 19 settembre del '51 Flaubert comincia a scrivere *Madame Bovary*. Che quelle «parole del cuore» non fossero del tutto disinteressate? Sappiamo che Flaubert usava, come fanno i pittori, tenersi il modello davanti. Ed era pignolo e preciso nel suo osservare e prendere appunti. In molte occasioni racconta di come sia andato a ragguagliarsi di persona sui particolari che gli servivano per il romanzo: il ballo, i comizi agricoli, il castello, le varie possibilità di operare i piedi equini: «Sono sempre indaffarato con il piede equino. Il mio caro fratello questa settimana mi ha fatto saltare due appuntamenti e se non viene domani sarò costretto ad andare a Rouen». *(22 aprile 1854)* Scrive a Louis Bouilhet: «Quanti drammi feroci ho immaginato alla Morgue dove mi ostinavo ad andare». *(7 luglio 1853)* «Stamattina sono stato a un comizio agricolo e sono tornato morto di fatica e di noia.» *(18 luglio 1852)* «Mandami un opuscolo medico. Avrei bisogno delle parole scientifiche che descrivono le diverse parti dell'occhio.» *(19 settembre 1855)* «Devo andare a Rouen per prendere informazioni sugli avvelenamenti da arsenico.» *(5 ottobre 1855)*

Il 6 marzo 1855 Flaubert scrive l'ultima lettera a Louise Colet dopo una corrispondenza di tre anni in cui l'ha chiamata continuamente *pauvre coeur, mon pauvre coeur*, eccetera come se volesse farla consapevole della pochezza del suo amore ma contemporaneamente volesse rendere evidente l'utilità della sua funzione nella redazione del romanzo.

Il 1° ottobre si pubblica la prima puntata di *Madame Bovary* sulla rivista «La Revue de Paris» diretta da Maxime Du Camp. Louise, che non ha mai potuto leggere una riga del manoscritto che lui invece leggeva a voce alta ad amici più o meno intimi, lo vedrà solo stampato quando ogni rapporto col «maestro» è stato duramente troncato per volontà di lui.

«Apprendo ora che vi siete data la pena di venire ieri, in serata, per tre volte, da me. Non ero in casa. E nel timore delle reazioni che una tale insistenza da parte vostra potrebbe attirarvi da parte mia, le regole del saper vivere mi costringono ad avvertirvi: non sarò mai in casa per voi. Ho l'onore di salutarvi. G. F.» (*6 marzo 1855*)

Ma ci sono ancora alcune cose da dire sul rapporto madre-figlia come lo intende Flaubert. Un rapporto che prelude a quello, molto più importante per Flaubert, della madre col figlio.

Emma Bovary, per l'autore, è decisamente una cattiva madre. E per mostrarcelo costruisce delle scene precise, di grande crudezza narrativa. Dal primo rifiuto, appena dopo il parto quando le dicono che è una femmina, alla consegna della lattante nelle mani di una balia che vive in una bicocca sudicia, di stenti; dalla volta che, andata a trovarla, la bambina le vomita addosso e lei se ne allontana infastidita a quando si libera della balia che le chiede altri soldi perché non ce la fa con la bambina e quell'altro bambino scrofoloso con un impaziente e schifato «va bene, va bene».

La bambina cresce, coccolata dal padre ma non dalla madre. Quando ancora si tiene a fatica in piedi sulle gambette traballanti assistiamo a quella scena penosa dello spintone che la scaraventa contro una borchia del cassettone che le ferisce la guancia. La madre poi la guarda dormire, dopo che il padre le ha medicato la faccia impiastricciata di lagrime e di sangue e pensa: «Com'è brutta questa bambina!».

In una pagina di diario di Louise Colet del 1842, troviamo una annotazione sulla figlia che ricorda molto questa scena del romanzo. Louise osserva, guardando la figlia che dorme: «Il carattere di mia figlia mi rattrista; è lo spirito invidioso malevolo e leggero di Hippolyte».

Niente di più probabile che Louise abbia letto al «maestro», come era sua abitudine, il suo *mémento* sulla figlia. E che lui l'abbia trasferito nel romanzo cambiando l'osservazione morale in una estetica. Rientrerebbe perfettamente nel suo carattere.

Da ultimo, sul letto di morte, troviamo Emma che guarda la figlia con occhi allucinati, tanto da spaventarla. «Mamma, che occhi grandi hai». È per guardarti meglio, bambina! Certamente non c'è affetto in quegli occhi e neanche il rimpianto di lasciarla.

Nelle lettere a Louise, in realtà, non compare mai un giudizio di Gustave su come lei alleva la figlia. Flaubert si mostra molto discreto nei riguardi di un rapporto così complesso e intimo. Eppure, da qualche cenno che fa – indiretto – si capisce che non giudica favorevolmente il modo di essere madre della sua amante. Non perché Louise non si mostri affettuosa con la bambina, che riempie di baci e che porta sempre con sé. Ma proprio per questo suo renderla testimone di tutti i suoi amori.

Louise, però, era fatta così, non aveva segreti per nessuno e tanto meno per la figlia. In questo stava il fascino del suo carattere impetuoso e sincero. Provava una specie di esultanza nel «mettere in piazza» gli affetti, le gelosie, i tormenti, le preoccupazioni.

Uomini pudichi e gelosi di sé come il filosofo Victor Cousin e Gustave Flaubert soffrirono certamente della smania pubblicitaria di Louise, pur essendo poi attratti proprio da quel suo carattere tutto esuberanze e prodigalità.

Louise fra l'altro, da quanto risulta dai suoi diari, non fu mai del tutto certa che la figlia fosse del marito, anche se spesso scopre in lei dei tratti di lui. Per anni il filosofo ha creduto che la figlia fosse sua, anche se Louise non glielo aveva mai dato per certo. «Lo so, non mi avete mai detto con certezza che Henriette è mia figlia ma...»

Questo vuol dire che non rinunciava alla sincerità anche quando le portava degli svantaggi. Probabilmente lei stessa non lo sapeva, soprattutto all'inizio. Poi, diventata adolescente la bambina, aveva ritrovato in lei i caratteri inconfondibili della debolezza del marito. Con tutto questo Victor Cousin si affezionò tanto alla ragazzina da lasciarle dopo la morte una piccola rendita. Il che dimostra una grande apertura di vedute se pensiamo alle bigotterie dell'epoca.

La cosa buffa è che spesso, nelle sue lettere a Louise, Flaubert la spinge a sposare il vecchio filosofo. Poi avrebbero potuto continuare a vedersi. Ma che intanto si sistemasse, per il bene della figlia!

Anni dopo sarà Victor Cousin a spingere Louise a sposare Gustave Flaubert, «per il tuo bene», per «il bene della bambina». Ma Flaubert, alle timide richieste di lei, si rifiuta categoricamente, lui non è libero, ha già un grosso impegno familiare e non può farlo.

In queste incertezze Louise scrive una poesia molto affettuosa nei riguardi della figlia. «Averti con me sempre, è il mio sogno più dolce / la casa si riempie del suono dei tuoi piccoli passi / e quando dormi la notte mi alzo / per guardarti dormire nel tuo minuscolo letto. / Sul cuscino si piega il tuo fresco collo / dal lenzuolo rivoltato esce il tuo piccolo braccio tondo / la tua faccia ride sulla tela bianca / i tuoi capelli d'oro carezzano la fronte».

Certamente, dal punto di vista letterario, è una poesia più che convenzionale, ma si può sentire che è sincera, e l'amore per la figlia, reale. Solo che con la sincerità non si fanno buone poesie. «Poso un fiore sulla tua testa d'angelo / tu balli, ridi, andiamo insieme al ballo / sono felice ad ogni sguardo / che attira passando la tua aria verginale.»

Per Flaubert la cattiva letteratura non poteva disgiungersi dai cattivi sentimenti. Troppo severo? Lui non ha mai scritto niente che riguardasse sua madre, forse perché temeva di perdere il controllo dello stile. Certo si trattava di un rapporto complesso, spinoso, non esente da reciproche tirannie e torture.

«Mia madre mi aspettava alla stazione» scrive Flaubert a Louise dopo il primo incontro con lei che l'ha tenuto lontano da Croisset per tre giorni. «Essa ha pianto vedendomi tornare. Tu hai pianto vedendomi partire. La nostra infelicità è dunque tale che non possiamo allontanarci da un luogo senza che questo costi lagrime da tutte e due le parti.» *(4-5 agosto 1846)*

E ancora: «Mia madre è stata ieri e avant'ieri in uno stato orribile». È il periodo in cui Gustave trova ogni scusa per andare da Louise. «Essa aveva delle allucinazioni funebri. Ho passato il mio tempo presso di lei.» *(8-9 agosto 1846)*

«Tu mi parli sempre del tuo dolore» scrive Flaubert a Louise il 23 agosto '46, [...] «ma io ne vedo un altro di dolore. Un dolore che è qui, vicino a me e che non si lamenta mai, che sorride perfino, e di fronte al quale il tuo dolore, per quanto grave possa essere, non sarà mai che una puntura accanto a una bruciatura, una convulsione vicino a una agonia. Ecco la morsa in cui sono: le due donne che amo di più hanno stretto il mio cuore in una briglia a due guide con cui mi tengono stretto. Esse mi tirano alternativamente con l'amore e con il dolore.»

Alle proteste di Louise che un uomo non può rimanere tutta la vita con la madre, lui rispondeva secco: «La mia vita è fissata a un'altra e questo sarà finché l'altra esisterà. Alga marina, scossa dal vento, sono trattenuto alla roccia da un unico filo tenace [...] Una volta rotto il filo dove volerebbe la povera pianta inutile?». *(27 o 28 agosto 1846)*

Louise reagisce accusandolo di nascondersi dietro le gonne della mamma «come una vergine». «Hai creduto di ferire la mia vanità», le risponde lui pacifico, «dicendo che sono custodito come una ragazza da marito. Cinque o sei anni fa mi sarei fatto uccidere per cancellare l'effetto di queste parole su di me; oggi mi sono scivolate addosso come l'acqua sul collo di un cigno. Credi che non sarebbe dolce per me, per me solo, per l'uomo che sono, riceverti qui? che cosa rischio io? niente, assolutamente niente. Mia madre, anche se se ne accorgesse, non ne parlerebbe affatto, la conosco. Potrebbe essere gelosa di te (quando tua figlia avrà diciotto anni tu saprai che si può essere gelosi della propria bambina e odierai suo marito: è la regola). Ma tutto finirebbe lì.» (*5 settembre 1846*)

Con queste parole Flaubert conferma l'accusa di Louise: lui stesso si paragona a una ragazza da marito di diciotto anni mentre ne ha venticinque e non sta aspettando di sposarsi.

«È per il tuo nome, per il tuo onore, per non vederti sporcata dalle battute banali del primo venuto, per non farti arrossire davanti ai doganieri che passeggiano lungo il muro, perché un domestico non ti rida in faccia. Ma tu non hai capito. No, niente» le scrive sempre il 5 settembre 1846. Ma poi scopriamo, da altre lettere, che non è vero che si preoccupi per lei. E non è neanche vero che sua madre non sia gelosa, o per lo meno che lui non abbia paura di suscitare la gelosia materna. Ne ha una paura terribile.

«Ho inventato una storiella a cui mia madre ha creduto, ma la povera donna è stata tutto ieri molto agitata. È venuta alle undici alla stazione, ha passato la notte senza dormire e tormentandosi. Questa mattina l'ho trovata alla banchina in uno stato di ansietà estrema. Non mi ha fatto alcun rimprovero, ma il suo viso era il rimprovero più grande che si possa fare.» (*10 settembre 1846*) E questo perché il figlio Gustave aveva passato una notte a Mantes con la sua innamorata.

«Ieri mia madre era in camera mia mentre facevo

la toletta [...]. Mi portano una lettera. Lei la prende, ne osserva la calligrafia e dice, a metà canzonatoria: [...] "vorrei proprio sapere cosa c'è qui dentro". Ho risposto con una risata sciocca che volevo rendere comica per toglierle dalla mente ogni ipotesi seria. Non so se ha qualche sospetto. Forse sì. La regolarità del postino è una cosa meravigliosa.» (13 settembre 1846)

Eppure proprio il «meraviglioso postino» è complice involontario di un raggiro che durerà anni: per non destare sospetti nella madre, Gustave costringe Louise a indirizzare le sue lettere a Maxime Du Camp che poi, in una nuova busta, le spedisce a Croisset come se a imbucarle fosse lui.

«Non venire mai qui» intima Gustave a Louise, «ci sarebbe impossibile, parlando topograficamente, incontrarci. So bene che l'idea dell'incontro non è quella che ti spinge, ma, insomma, è sempre un antipasto più che accessorio, e che viene inevitabilmente a ringagliardire tutti i banchetti del cuore. Sarà meglio che tu ti fermi a Rouen. Potresti venire la mattina, avendomi avvertito il giorno prima. Prenderei a pretesto qualche commissione e sarei qui di ritorno verso le sei.» (14 settembre 1846)

E alle insistenti domande di quando potranno partire insieme, Flaubert risponde: «Ah, se fossimo liberi, viaggeremmo insieme! È un sogno che faccio spesso». (17 settembre 1846)

Ma si tratta di un desiderio puramente teorico, perché viaggi ne progetterà e ne farà parecchi, sia in Francia che in Inghilterra, sia in Africa che in Asia, ma non ha mai sentito il bisogno di invitare Louise, neanche una volta.

«Mia madre ha bisogno di me» è la risposta più frequente, anche solo alla richiesta di andare a Parigi. «La minima assenza le fa male. Il suo dolore mi impone mille inimmaginabili tirannie. Quello che per altri sarebbe nulla, per me è molto. Non sono capace di mandare al diavolo le persone che mi pregano con una faccia triste e le lagrime agli occhi.» (*30 settembre 1846*)

Eppure Louise l'ha supplicato tante volte, con «la faccia triste e le lagrime agli occhi» di andare da lei o di incontrarsi altrove, ma lui ha saputo tranquillamente «mandarla al diavolo».

«Sono debole come un bambino e cedo perché non mi piacciono i rimproveri, le preghiere, i sospiri. L'anno scorso per esempio andavo tutti i giorni in barca a vela. Non correvo nessun rischio perché, a parte il mio talento marinaro, sono un nuotatore piuttosto bravo. Ebbene, quest'anno, a mia madre le è preso il capriccio di avere paura. Non mi ha detto di smettere questo sport che per me, con le forti maree di adesso, è pieno di fascino: taglio l'onda che mi bagna saltando sui fianchi della barca, lascio che il vento gonfi la vela che rabbrividisce e sbatte con movimenti allegri, sono solo, senza parole, senza pensiero, abbandonato alle forze della natura e godo di sentirmi dominato da essa. Mia madre non mi ha detto niente in proposito, ti ripeto: tuttavia ho messo tutti i miei attrezzi in soffitta e non c'è giorno in cui non sia preso dalla voglia di tirarli fuori. Ma non ne faccio niente per evitare certe allusioni, certi sguardi, ecco tutto. È così che per dieci anni ho tenuto nascosto il fatto che scrivevo, per risparmiarmi una possibile presa in giro.» (*30 settembre 1846*)

Flaubert non dice che la madre temeva che fosse preso da un attacco di epilessia in mezzo al mare. È curiosa comunque questa tirannia, senza parole, fatta di sguardi, di lagrime represse, di allusioni appena accennate, di consensi silenziosi. È ancora più curioso che il giovane Gustave, nello sfuggire clandestinamente a questa tirannia, se ne cerchi un'altra del tutto simile, anche se di segno opposto.

«Mi ci vorrebbe un pretesto per venire a Parigi, ma quale? ce ne vorrebbe un altro per il secondo viaggio e così via di seguito. Non avendo che me a tenerla attac-

157

cata alla vita, mia madre passa la giornata ad almanac-care delle disgrazie o degli incidenti che potrebbero ca-pitarmi.» (*30 settembre 1846*)

«Stasera ho fatto molta fatica a fuggire, mia madre è malata e me la sono squagliata col pretesto di passare mezz'ora da Maxime.» (*29 novembre 1846*)

Non assomigliano questi sotterfugi a quelli che in-ventano certi mariti un poco libertini per sviare i so-spetti di una moglie gelosa e assillante a cui si vuole te-nere nascosta una nuova amante?

Il rapporto fra madre e figlio in casa Flaubert non è dei più semplici e neanche dei più limpidi. Fatto com'è di continui taciuti ricatti, di menzogne pietose, di sottili gelosie, di sublimi rinunce, di abusi, di paure, di intolle-ranze sotterranee. Eppure sembra, in molte lettere, che Flaubert rimproveri sia a Louise che a Emma soprat-tutto di non essere come sua madre, la molto eroica madame Anne Justine Caroline Flériot sposata Flau-bert.

Sia l'una che l'altra sono madri che non sanno aspettare, sopportare, tacere sorridendo, ottenere senza recriminare, dare se stesse senza chiedere niente in cambio. Come se la maternità tirannica e arresa, di-sperata e possessiva, silenziosa e ricattatoria fosse l'u-nica possibile, quella che poteva guadagnarsi l'amore «eterno» del figlio.

E la paternità? che posto aveva nella famiglia? In tutte le storie di Flaubert le madri sono più presenti, più forti, più decise dei padri. I quali o si comportano come degli eterni bambini, o se ne stanno da una parte a guardare, senza osare intervenire.

Certamente il giovane Flaubert aveva orrore della paternità. È una delle cose che lo spaventano di più nel suo rapporto con Louise. Ed è strano che in *Madame Bovary* non ci sia nemmeno un accenno alle gravidanze che Emma tentava di evitare nei suoi rapporti clande-stini.

Quante volte Gustave chiede a Louise se «gli inglesi sono arrivati» (i soldati inglesi portavano le giubbe rosse), la metafora è molto graziosa e Flaubert la usa spesso. «Non ti nascondo che la tua lettera che mi annuncia l'arrivo degli inglesi mi ha dato una grande gioia. Faccia il dio dei coiti che mai più io ripassi per simili angosce. Non so come non sia caduto ammalato, come si dice. Mi mangiavo il sangue aspettando il tuo.» (*16 dicembre 1852*)

E quando Louise gli parla con trepidazione di un possibile figlio suo e di lui, le scrive sbrigativo «L'idea di dare la vita a qualcuno mi fa orrore, mi maledirei se diventassi padre. Un figlio da me? oh no, no, no, che la mia carne perisca, che io non possa mai trasmettere a nessuno le idiozie e le ignominie dell'esistenza. Tutte le virtù della mia anima si rivoltano a questa ipotesi e poi e poi...».

È una preoccupazione la sua che va al di là delle considerazioni di un uomo che vive solo, che non ha molti soldi, che vuole dedicarsi al suo lavoro e non ha nessuna voglia di mettere su famiglia. È un terrore che supera di molto queste ragionevoli inquietudini. Come se, in quella casa di Croisset, il principio generativo fosse stato stabilito una volta per tutte e non si potesse guastarlo senza gravissime conseguenze. Una madre è una madre per sempre e un figlio è un figlio, per sempre. Diventando a sua volta padre, il figlio muterebbe la direzione degli affetti, romperebbe un equilibrio delicato e prezioso, entrerebbe nel regno dell'innaturale e del catastrofico.

Ma c'è anche, a rifletterci, un disamore di sé, una disistima profonda, viscerale che è poi l'altra faccia di una infantile vanità di onnipotenza.

La grande rappresentazione dell'agonia di Emma Bovary non è finita. Ora, nella camera della moribonda arriva il famoso medico Canivet. Il quale per prima cosa le propina un forte emetico. Ed Emma, disgraziata, già mezzo morta è costretta a vomitare l'anima. «Aveva le membra rattrappite, il corpo coperto di macchie brune, il polso scivolava sotto le dita come un filo teso, come una corda di arpa che stia per spezzarsi.»

A questo punto Emma prende a «urlare orribilmente». Se la prende col veleno, supplicandolo di sbrigarsi, e «respingeva con le braccia tese quello che Charles, più agonizzante di lei, le dava da bere».

Arriva intanto un altro medico, il prestigioso dottor Larivière, preceduto dagli inchini reverenti di Homais. Al medico basta uno sguardo per stabilire che ormai il veleno ha fatto il suo effetto e non c'è più niente da fare. «*Du courage!*» dice rivolto al povero Charles, proprio come aveva detto Rodolphe a Emma quando l'aveva abbandonata vilmente il giorno della fuga progettata insieme.

«*Du courage!*» è anche quanto scrive Maxime Du Camp per consolare Louise Colet quando Gustave decide di partire per l'Oriente senza di lei.

In casa di Emma intanto, dopo avere consolato un poco il povero Charles, il grande luminare si dirige verso la casa di Homais, il quale «non riuscendo a staccarsi dalle persone celebri», gli ha preparato un pasto succulento prendendo le pietanze dal ristorante Leone d'oro.

E così, mentre nella casa vicina Emma muore soffrendo orribilmente, a casa di Homais il grande professor Larivière si ingozza di coniglio in umido, patate fritte e vino novello.

Sartre suggerisce che la descrizione del professor Larivière sia, in realtà, il ritratto del padre, il celebre, stimato, riverito dottor Achille-Cléophas Flaubert, che aveva voluto costringere il figlio agli studi di avvocatura per sfuggire ai quali, il bambino, aveva dovuto «scegliersi» una terribile malattia, l'epilessia.

Ma lo spettacolo della morte non è finito. Flaubert non ci pensa nemmeno a concluderlo così in fretta. Come in certi concerti di autori sconosciuti, quando si pensa: ecco siamo alla fine, per la rincorsa che ha preso la musica, per i grandi affondi dei fiati, per il ritmo affrettato dei piatti, per l'aria conclusiva della melodia, e ci prepariamo a battere le mani, ecco che la tensione cala improvvisamente e la musica ricomincia, con i suoi pianissimo, i suoi crescendo, i suoi andante e i suoi adagio.

Emma sul letto di morte «apriva smisuratamente gli occhi e le povere mani si trascinavano sulle lenzuola con quel gesto laido e dolce degli agonizzanti che sembrano volersi coprire col sudario prima ancora di essere morti».

Infine appare il prete, chiamato non si sa da chi, per l'estrema unzione. È il momento in cui Flaubert ripercorre con lo sguardo, per l'ultima volta, il corpo della sua eroina distesa: «Il prete immerse il dito nell'olio e cominciò l'unzione. Prima sugli occhi che avevano tanto agognato tutte le ricchezze della terra. Poi sulle narici avide di tiepide carezze e di profumi amorosi, poi sulla bocca che si era aperta alle menzogne, che aveva avuto gemiti d'orgoglio e gridi di lussuria, poi sulle mani che avevano conosciuto il diletto di contatti soavi e infine sulle piante dei piedi così rapide altre volte quando essa correva verso la soddisfazione dei suoi desideri e che ora non avrebbero più camminato».

Questa scena è stata fra le più bersagliate dalla censura, accusata di dissacrare una cosa così pia e santa come l'estrema unzione. Certo si tratta di una scena crudele, ma non blasfema. Semmai fa pensare alla composizione di un corpo ancora vivo dentro le strettoie della morte, quasi un assassinio. L'assassinio del personaggio da parte dell'autore. Compiuto con la disperata gioia di una vendetta antica, profonda e lacerante. Tanto lacerante da dare l'impressione che l'autore abbia ucciso anche una parte di sé, forse quella a cui, dopotutto, teneva di più anche se non la amava affatto.

Flaubert, qualche anno prima, era stato colpito da un fatto di cronaca di cui avevano parlato tutti i giornali: il duca di Praslin aveva assassinato la moglie il 17 agosto del '47. Una settimana dopo si era suicidato con l'arsenico.

In settembre Louise gli manda da leggere le lettere della duchessa di Praslin che erano state pubblicate su un giornale.

Flaubert risponde: «Leggerò le lettere di Madame de Praslin. Il poco che ne so mi sembra strano. Mi ha colpito una cosa; è che queste lettere mi hanno ricordato, a volte, il colore delle tue. Riderai, ma questo accostamento, per quanto pazzo sia, mi è saltato agli occhi per la sua verità. Dobbiamo sperare che l'accostamento non andrà oltre e che io non ti assassinerò mai. Ma chi lo sa! Non importa, sarebbe buffo.» (*17 settembre 1847*)

D'altronde anche quando Louise gli aveva scritto di essersi buttata dalla carrozza per non subire le aggressioni di de Musset lui non l'aveva immaginata morta sulla strada con la testa schiacciata dagli zoccoli del cavallo?

Chissà che la morte di Emma Bovary non costituisca, in qualche modo, il compimento di quel delitto che ha tanto stagnato nell'immaginazione di Gustave Flaubert.

Nella camera di Emma, la morte non si decideva a chiuderle gli occhi. Madame Bovary, scrive Flaubert, «aveva un volto sereno, come se il sacramento l'avesse guarita». In effetti Charles comincia a pensare che forse ce la farà, dopotutto.

Come per dargli ragione, Emma ora chiede con voce flebile uno specchio. E quando ce l'ha fra le mani vi rimane chinata sopra, perplessa, incantata. Fino al momento in cui delle grosse lagrime vanno a macchiare la liscia superficie del vetro. «A quel punto si rovesciò indietro mandando un sospiro e ricadde sul cuscino.»

Sembra proprio la fine. Ma si tratta di un'altra finta conclusione. Lo sguardo di Flaubert non abbandona il corpo morente di Emma, non le fa la grazia di lasciarle tirare gli ultimi respiri in pace.

Subito veniamo informati che il fiato le si fa grosso, che la lingua «di colpo le uscì tutta intera dalla bocca», che gli occhi, roteando, «diventavano bianchi come due globi di lampade che si spengono», che il rantolo «diventava sempre più forte e il prete precipitava le sue orazioni: esse si mescolavano ai singhiozzi soffocati di Charles».

Improvvisamente uno sbattere di zoccoli che viene dalla strada, accompagnato dal picchiare ritmico di un bastone, sovrasta tutti i rumori. Una voce si alza, una voce rauca che canta: «*Souvent la chaleur d'un beau jour...*».

Emma si solleva «come un cadavere che venga galvanizzato, i capelli scomposti, le pupille fisse, dilatate».

È il cieco il cui canto Emma ha ascoltato altre volte lungo il percorso del suo adulterio con un brivido di sgomento. Ed ecco che ora il cieco si presenta al suo capezzale come per un appuntamento con l'orrore. Lei che ha tanto amato gli uomini belli, viene salutata in punto di morte da una maschera maschile di sangue e dileggio.

«Il cieco!» grida Emma «e si mise a ridere di un riso atroce, frenetico e disperato, credendo di vedere la faccia disgustata del miserabile che si sollevava nelle tenebre come uno spauracchio terribile.»

«Una convulsione la ributtò sul materasso. Tutti si avvicinarono. Essa non esisteva più.»

Questa scena del cieco è francamente fuori dalle corde del libro, fuori dalla concisione limpida del racconto, fuori dalla sobrietà del ritmo narrativo. È una aggiunta di esasperato romanticismo. Un piccolo tocco di «cattivo gusto», di quelli che Flaubert avrebbe rimproverato aspramente alla sua amica Louise come l'intervento prevaricatore della retorica sui fatti, del simbolo sull'oggetto. Una caduta nel plateale di una troppo insistita, reiterata, emblematica punizione.

Il lettore, comunque, tira un sospiro di sollievo. Lo spettacolo dell'agonia è finalmente giunto a conclusione. Ora, speriamo, saremo usciti dalle descrizioni raccapriccianti.

Ma non la pensa così l'autore, che vuole fare i conti con quello che resta di Madame Bovary, il suo corpo privo di vita ma ancora avvolto nel fascino della sua bellezza, immagine ingannevole e perversa su cui bisogna che si compia interamente lo scempio, fino in fondo.

Emma viene vestita da sposa, di bianco «come un chiaro di luna» secondo la volontà di Charles, nonostante le proteste di Homais che considera «stravagante» questa idea. Ma, per una volta, Charles si impone. Non solo vestirà la moglie morta da sposa, ma le metterà addosso quelle scarpine eleganti che indossava dal marchese di Andervilliers, nonché una coroncina di fiori in testa. Gli oggetti-feticcio saranno sepolti assieme al corpo dell'amata.

Madame Lefrançois e mamma Bovary si avvicinano alla morta per vestirla. «Guardatela com'è ancora bella, si direbbe che stia per alzarsi.»

Nel dirlo, Madame Lefrançois si china per sollevare un poco la testa della signora. Ma non fa in tempo a tirarla su che viene inondata da un fiotto di sangue scuro «come un vomito nero che le usciva dalla bocca».

Il gusto dell'orrido prende la mano al nostro autore. La morta Emma che sembrava ancora così fresca da doversi alzare dal letto, deve apparirci nella mostruosità della corruzione della carne. Vedete cosa succede a chi preferisce le gioie dei sensi a una più pudica castità? C'è di che spaventare ogni moglie inquieta e scontenta del marito a cui capiti fra le mani il libro. Ed è su questo che verterà la difesa del romanzo al famoso processo.

Intanto arrivano i parenti, gli amici a vegliarla. Si mettono a discutere di religione, di politica, mangiando, bevendo, poi si addormentano pesantemente.

Solo Charles rimane sveglio. Entra in punta di piedi nella camera ardente, si avvicina al corpo della moglie da cui è attratto irresistibilmente. La cera delle candele «cade in grosse lagrime sul lenzuolo».

Charles solleva con due dita, delicatamente, il velo e caccia un grido di orrore. Emma non è più serena come l'aveva vista prima, non è più distesa. Il suo viso porta le impronte della morte orribile che ha fatto e dell'ultima risata demoniaca che l'ha scossa prima che il cuore le si arrestasse.

«L'angolo della bocca rimasta aperta faceva un buco nero nella parte bassa del viso [...] una specie di

polvere bianca le ricopriva le ciglia e gli occhi cominciavano a sparire in un pallore vischioso che assomigliava
a una tela sottile, come se dei ragni l'avessero filata lì
per lì.»

Il dottor Bovary, inebetito, viene trascinato via dagli amici pietosi, lontano dal corpo di lei. Ma lui ritorna
una seconda volta, grida e dice che accetterà di farla
chiudere nella bara solo dopo che le sarà stata tagliata
una ciocca di capelli da tenere come ricordo.

La domestica Félicité, armata di un paio di forbici,
si avvicina al corpo della padrona ma non osa toccarla,
presa com'è da una pena e da un dolore insopportabili.
Allora Homais le strappa le forbici di mano e si avvia
deciso verso il cadavere.

«Ma tremava così forte che nell'intento di tagliarle i
capelli le ferì più volte la pelle delle tempie in diversi
punti. Infine, irrigidendosi contro l'emozione, il farmacista diede due o tre grandi colpi a caso che lasciarono
delle macchie bianche nella bella capigliatura nera di
Emma.»

E con questo abbiamo assistito all'ultimo oltraggio
compiuto sul corpo di Emma, abbrutito, mortificato
dall'agonia, dal veleno, sanguinolento, con un buco al
posto della bocca, le tempie ferite dalle forbici, i capelli
sconciati dal taglio fatto a casaccio, gli occhi coperti da
una «tela di ragno» bianchiccia.

Il romanzo prosegue per altri due capitoli che ri-
guardano il «dopo Emma». E bisogna dire che, esauri-
tosi il dovere di compiere fino in fondo la punizione
esemplare dall'adultera, il tono riprende dolce e poetico, bellissimo.

Charles si trova alle prese coi creditori, si riduce povero, in una casa senza mobili, senza cibo, solo, con la
piccola Berthe vestita di stracci.

Lo avevamo incontrato bambino, il dottor Bovary,
che entrava in una classe di furbi senza esserlo. Ricordiamo la sua goffaggine, rivelata da quel berretto in-

sieme prezioso e dozzinale: «era un copricapo di ordine composto in cui si potevano riconoscere gli elementi del cappuccio di pelo, del *chapska*, della bombetta, del caschetto di lontra e del berretto di cotone, una di quelle povere cose di cui la muta bruttezza ha la profondità di espressione della faccia di un imbecille».

Lo ritroviamo maturo, vicino alla morte che lui stesso cercherà ma in modo dolce, come dolce è stata tutta la sua vita, e schiva.

Non è possibile che quella viltà di cui tutti lo accusano sia solo l'espressione di una fedeltà cocciuta e ritrosa al proprio carattere di uomo pigro, gentile, spaurito, amante della pace?

Il suo amore per la moglie ci sembra la cosa su cui Flaubert riesce a infierire di meno. Ma da questo, a dire che ce lo voglia fare amare come personaggio ce ne corre. Eppure c'è qualcosa in Charles che Flaubert non riesce a mettere in burla. Parliamo della sua capacità, davvero rara, di amare senza chiedere niente in cambio. Amore che non è una resa come crede Emma, ma quasi un sentimento religioso.

Ebbene, a questo punto potremmo chiederci: ma qual è il rapporto tra Flaubert e Charles Bovary? Forse solo una parola può definirlo: l'ambiguità. Da una parte, assecondando il giudizio dei suoi contemporanei, cittadini di Yonville e di Rouen, ce lo mostra come un ignavo, un sudicio e rozzo individuo che per la sua dabbenaggine merita di essere tradito, un provinciale sprovveduto, un fesso, insomma, senza rimedio.

Dall'altra, però, c'è una tolleranza striata di segreta simpatia per quello che è il «cuore semplice» di Charles. (Ricordiamo che *Un cuore semplice* è il titolo di uno dei racconti più belli di Flaubert ed è il ritratto elegante, pulito, gentile della serva che l'ha accudito e amato per anni. Quasi che in questa semplicità si trovasse sprofondata una parte del carattere dello stesso

169

autore; una parte, però, di cui vergognarsi e su cui sognare.)

Basta seguirlo negli ultimi due capitoli del romanzo, una volta distolta l'attenzione dalla ingombrante ed egocentrica protagonista, Emma Bovary. Mentre lei occupa la scena è difficile accorgersi degli altri.

L'autore ora segue con uno sguardo stanco e indulgente i sogni a occhi aperti di Charles. E per una volta non li disprezza, poiché per quanto astratti, come quelli di Emma, hanno la grande qualità di non ispirarsi alla letteratura.

Mentre Homais si involgarisce sempre di più, diventando ogni giorno più prepotente e arrogante, più vanaglorioso e supponente, Charles Bovary, nel suo lasciarsi andare alla solitudine e al dolore, suscita qualcosa che potremmo chiamare «una trepida tenerezza» da parte dell'autore e di conseguenza anche del lettore.

Neanche la piccola Berthe, che pure rimane sola e senza un soldo, ottiene da Flaubert altro che una pietà convenzionale. Essa rimarrà orfana di entrambi i genitori, andrà a finire prima dalla nonna e poi, alla morte di questa, da una zia che non può mantenerla e la manda come operaia, in una filanda. Ma questa «discesa» sociale ci viene appena accennata, senza nessuna partecipazione.

Mentre le vicende degli ultimi mesi di Charles Bovary sono seguite con affetto e comprensione. Charles infatti muore, letteralmente, d'amore: tenendo in mano una ciocca dei capelli della moglie, dopo che aveva letto, con trepida e delicata attenzione, le lettere scritte a Emma da Léon e da Rodolphe.

Rodolphe, lui l'ha incontrato poco dopo la morte di Emma, al mercato di Argueil dove è andato per vendere la sua giumenta, ultimo bene ancora in suo possesso.

«Impallidirono entrambi. Rodolphe, che aveva solo mandato un biglietto di condoglianze, balbettò lì per lì qualche scusa, poi si riprese e la sua faccia tosta lo spinse (faceva molto caldo, si era nel mese di agosto) fino a invitarlo a prendere un boccale di birra alla locanda.»

Charles che è un timido e un mite, non ha il coraggio di dirgli di no. Ma non è solo debolezza, c'è anche la delicatezza di non volerlo mortificare con un rifiuto.

«Rodolphe masticava il suo sigaro chiacchierando e Charles si perdeva in sogni davanti a quella faccia che Emma aveva amato. Gli sembrava di rivedere qualcosa di lei. Era una cosa straordinaria. Avrebbe voluto essere quell'uomo.»

Com'è profonda l'intuizione di Flaubert, come sa uscire dai sortilegi delle comuni leggi psicologiche per dirci l'indicibile. Un uomo che non conosce la gelosia, pur amando intensamente, è un insensibile o uno scemo, avrebbero detto i cittadini di Rouen, e non solo di allora.

Eppure Charles Bovary, l'uomo goffo, l'uomo vinto, tradito, «fatto fesso», incapace di qualsiasi cosa che non sia il puro atto d'amare, arriva per intuito amoroso a qualcosa di molto sofisticato e moderno: il rispetto dell'altro da sé, per puro desiderio di realtà.

Volere che l'essere amato rimanga se stesso, con i suoi difetti e le sue singolarità anche se procurano dolore, non pretendere di cambiarlo ma accettarlo nelle sue storture, fuori da ogni legge tradizionale del possesso, appartiene al mondo dell'immaginazione futura.

Li vediamo a confronto, questi due uomini, uno apparentemente perdente e svilito, l'altro trionfante e sicuro di sé.

«Rodolphe continuava a parlare di colture, di bestiame, sigillando con frasi banali tutti gli interstizi in cui avrebbe potuto scivolare una allusione. Charles non lo ascoltava. Rodolphe se ne accorse e seguì sui movimenti del viso di lui i passaggi dei ricordi. Esso si imporporò a poco a poco, le narici aspiravano rapide, le labbra fremevano; ci fu un momento in cui Charles, pieno di un oscuro furore, piantò gli occhi in viso a Rodolphe, il quale, in una sorta di terrore, si interruppe. Ma ben presto la stessa stanchezza funebre di prima riapparve sulla faccia di Charles».

«Non ve ne voglio» gli dice. E Rodolphe rimane muto. Come osa quest'uomo affrontare un argomento che lui sta facendo di tutto per evitare? «No, non ve ne voglio» continua Charles, perfettamente tranquillo, «è colpa della fatalità.»

Rodolphe che aveva «guidato questa fatalità», commenta acuto Flaubert, «lo trovò sempliciotto per un uomo nella sua situazione, perfino comico e un poco vile».

Si sente lo sforzo immane dell'autore per non lasciarsi impelagare dalla tenerezza per il personaggio perdente, vile, nudo. Quasi quasi darebbe ragione a Rodolphe che, pure, in fatto di viltà, di debolezza, ha molto di più da farsi perdonare. La baldanzosa morale degli amici, il giudizio «forte» del gruppo non gli perdonerebbe questo cedimento di fronte all'amabile mitezza del vinto.

La sua più intima comprensione va a Charles Bovary, ma segretamente, per carità che non si sappia che lui non è abbastanza «scostumato e ribelle, rivoltato e scettico».

Charles la mattina dopo va a sedersi sulla panca in fondo al giardino, dove Emma e il suo amante si baciavano mentre lui dormiva. «I raggi del sole filtravano attraverso il fogliame: i pampini disegnavano delle ombre sulla sabbia, si sentiva il profumo dei gelsomini in fiore [...]. E Charles soffocava come un adolescente sotto i vaghi effluvi amorosi che gli gonfiavano il cuore in pena.»

«Alle sette la piccola Berthe, che non lo aveva visto per tutto il pomeriggio, venne a cercarlo per la cena. "Papà, vieni" dice e credendo che volesse giocare facendo l'addormentato, lo spinge dolcemente. Lui cadde a terra. Era morto.»

Ecco la morte di un uomo che non ha mai forzato la sorte; che ha scelto di amare una persona che non poteva che fargli del male. Un innamorato del dolore? un masochista? No, perché non si tratta di una ricerca del piacere nel dolore ma, semmai, una resa alle ragioni più profonde e più reali del dolore.

In certi momenti Charles Bovary ci ricorda il principe Myškin, l'«idiota». Non a caso Sartre ha intitolato così il suo lunghissimo libro su Flaubert. Anche se Sartre non si riferiva a Charles Bovary ma allo stesso Flaubert, quando da bambino si appartava senza motivo, quando non riusciva a spiccicare una parola, quando cadeva in preda a malinconie devastanti, fino all'esplosione di una crisi epilettica (anche Dostoevskij era epilettico), perciò veniva chiamato «idiota». E Flaubert aveva imparato a giocarci con quell'idiota, tanto da farne materia di rappresentazione (*l'idiot des salons*).

«Ho sognato che ero in una grande foresta piena di scimmie e mia madre passeggiava con me. Più ci addentravamo fra gli alberi e più ne venivano: ce n'erano sui rami che ridevano e saltavano, molte venivano invece sul nostro sentiero, sempre più grandi e sempre più numerose. Mi guardavano fisso e io ho finito per avere paura. Si affollavano attorno a noi facendo cerchio. Una, poi, ha voluto carezzarmi e mi ha preso la mano. Le ho tirato un colpo di fucile alla spalla e l'ho fatta sanguinare. Ha preso a cacciare delle urla spaventose.

Mia madre allora mi ha detto: perché la ferisci la tua amica? che cosa ti ha fatto? non lo vedi che ti ama? Ma quanto ti somiglia! E la scimmia mi guardava. Il suo sguardo mi ha lacerato l'anima e mi sono svegliato.»

Ecco, in questo vivissimo sogno profetico di Flaubert (1845, da *Voyages*), fatto ben cinque anni prima di scrivere *Madame Bovary*, sembra di vedere in filigrana la storia del difficile rapporto fra l'autore e il suo personaggio.

La creatura di carta si fa «scimmia» dell'autore, lo imita, lo riflette, lo rincorre, lo restituisce a se stesso fino a fargli paura. Flaubert è preso da disgusto, si sente minacciato. Il personaggio-scimmia gli prende la mano e lo guarda negli occhi. Niente di aggressivo, di violento; solo un atto, preciso, di riconoscimento. Ma Gustave non può tollerare che il suo personaggio lo metta con tanta sfacciataggine davanti a se stesso. E gli spara addosso, ferendolo a una spalla. (Da notare che Flaubert, come anche il gruppo dei suoi amici, usa a proposito dell'atto d'amore il termine «sparare un colpo», o anche «tirare delle rivolverate».)

Emma, colpita a morte, urla. La madre a questo punto gli chiede: perché hai sparato, è una tua amica, e poi ti assomiglia. Da questo dialogo capiamo che la madre sa ciò che anche lui sa, ma che non vuole riconoscere: la scimmia gli appartiene profondamente, è parte di lui.

Solo la madre e il figlio conoscono il segreto della mutevolezza e della fragilità della scimmia, solo la madre e il figlio sanno quanto la scimmia susciti l'odio di sé e la voglia di assassinio dell'autore.

«Tu non lo capirai», scriveva a Louise, «tu che sei tutta di un pezzo, come un bell'inno d'amore o una poesia. Io sono un arabesco di intarsi, ci sono in me pezzi di avorio, pezzi di oro e di ferro. Ci sono anche pezzi di cartone dipinto. Ci sono diamanti. Ma ci sono pure pezzi di latta.» (*21-22 agosto 1846*)

La latta e il cartone fanno venire in mente una scena, un sipario da aprire. Ricordano un palcoscenico e tutto un mondo di invenzioni e di recite che attiravano invincibilmente l'immaginazione di Flaubert.

Se non ha fatto l'attore, ci spiega, è perché aveva abbastanza soldi per impigrirsi in una casa di campagna, per scrivere in pace senza doversi preoccupare di guadagnarsi da vivere.

«Ho certamente vissuto in Oriente in qualche esistenza passata. Sono sicuro di essere stato, al tempo dell'impero romano, direttore di un gruppo di attori nomadi, uno di quei tipi eccentrici che si spingeva fino in Sicilia a comprare donne per farne delle commedianti, uno che era, tutto in una volta, professore, mezzano, e artista. Ci sono dei racconti in Plauto, delle scemenze che dicono i suoi personaggi che quando li leggo mi ritornano come dei ricordi. Hai mai provato una cosa simile?» (*4 settembre 1852*)

Questa consapevolezza di un sotterraneo continuo teatro del cuore lo rende insicuro e colpevole agli occhi di se stesso. Ma perché? ci si potrebbe chiedere, cosa c'è di tanto condannabile nel teatro?

E qui ci imbattiamo nel fortissimo sentimento di integrità che anima i sogni utopici di Flaubert, nella sua aspirazione religiosa a una totalità conclusa e riconoscibile. Il teatro è frazionamento, è distacco da sé, è caricatura, è doppiezza. E perciò da condannarsi.

«Mi sono contorto dal disgusto e dalla noia di me.» (*21 luglio 1853*) «Non sento affatto il bisogno di scrivere le mie memorie. La mia persona mi ripugna tanto che me ne sento nauseato, le cose che ho intorno mi sembrano ributtanti o idiote.» (A Louis Bouilhet, *24 agosto 1853*)

In realtà Flaubert le sue memorie le ha scritte: sono queste bellissime, corpose, profonde lettere buttate giù di getto, spesso cosparse di errori, certamente cariche di autoironia e di intelligenze metaforiche.

«Io sono come quei laghi delle Alpi che si agitano alla brezza delle valli (a ciò che soffia dal basso, raso terra), ma i grandi venti delle cime passano sopra, senza raggrinzire le loro superfici e servono solo a scacciare la nebbia.» (*28 dicembre 1853*)

«Sono nato con tutti i vizi, ne ho soppressi radicalmente alcuni e non ho dato agli altri che un pascolo leggero. [...] Ho il cuore duro, ma per lo meno è solido.» (*13 agosto 1854*)

«Tu mi chiedi amore, ti lamenti che non ti mando mai dei fiori. [...] Prenditi un ragazzo appena sbocciato per questo. [...] Io sono come le tigri che hanno in cima al glande dei peli agglutinati con i quali straziano la femmina.» (A Louise *25 febbraio 1854*)

«C'è qualcosa di falso nella mia persona e nella mia vocazione. Sono nato poeta lirico e non scrivo versi.

Vorrei appagare coloro che amo e li faccio piangere.»
(A Louise *25 ottobre 1853*)

Cosa c'era di falso nella sua vocazione, se non un altro mattone aggiunto ai tanti che costituiscono la casa del suo senso di colpa?

«Io rido di tutto, anche di ciò che amo di più.» (*27 marzo 1852*) Ma è una risata fredda, sardonica.

«Sono nato con tanti vizi ma non gli ho mai fatto mettere il naso alla finestra. Amo il vino, ma non lo bevo, sono un giocatore ma non ho mai toccato una carta. La dissolutezza mi piace e vivo come un monaco. Sono mistico e non credo a niente.» (*8 marzo 1852*) Come dire: vizi immaginari. Che sono, evidentemente, molto più riprovevoli e gravi di quelli veri. Soprattutto se, a volte, li si recitano dentro di sé, come sopra il palcoscenico del desiderio.

La scimmia Emma è in agguato. E Flaubert vuole pensare che, se l'ha tenuta accanto per tre anni, è stato solo per «esercitare la mente».

«Che atroce lavoro, che noia! [...] Ah la Bovary! scrivere bene "il mediocre" e fare in modo che conservi nello stesso tempo il suo aspetto, il suo taglio, le sue parole stesse, questo è veramente diabolico.» (A Louise *12 settembre 1853*)

«La Bovary per me è stata solo una questione di partito preso, un tema da sviluppare. Tutto quello che amo nel libro non c'è. Vi darò presto qualcosa di più consistente, che si svolga in ambienti più appropriati.» (A Edma Roger des Genettes *30 ottobre 1856*)

«Mi occorrono dei grandi sforzi per immaginarmi i miei personaggi e per farli parlare, perché mi ripugnano profondamente.» (A Louise *26 agosto 1853*)

«Questo mio romanzo rivela molta più pazienza che genio, più lavoro che talento. Senza contare che lo stile non è mai stato così rigido.» (A Louis Bouilhet *5 ottobre 1856*)

«La morale dell'arte consiste nella sua stessa bellezza; fra tutte le cose io apprezzo lo stile, e poi la verità. Credo di avere messo nella pittura dei costumi borghesi e nell'esposizione del carattere di una donna naturalmente corrotta tanta letteratura e convenienza quanta era possibile, una volta stabilito il soggetto, ben inteso. [...] I luoghi comuni mi ripugnano, ed è proprio perché mi ripugnano che ho preso questo soggetto che era arcicomune e antiplastico. Questo lavoro sarà servito ad ammorbidirmi la zampa; passiamo ad altri esercizi ora.» (A Louis Bonenfant *12 dicembre 1856*)

Insomma, Flaubert prende le distanze dal suo personaggio, anzi dai suoi personaggi. Lui non c'entra, lui non li ha scelti, lui non li voleva. Sono stati gli amici a insistere, è stata la situazione, è stata una scommessa, un pretesto, una sfida a se stesso.

«*Madame Bovary* non ha niente di vero. È una storia totalmente inventata, non vi ho messo dentro niente, né dei miei sentimenti né della mia vita [...] È uno dei miei principi, che non bisogna scriversi. L'artista deve essere nella sua opera come Dio nella creazione, invisibile e onnipotente, che lo si avverta dappertutto ma che non lo si veda mai.» (A Leroyer de Chantepie *18 marzo 1857*)

«Non mi giudicate da questo romanzo. Io sono un vecchio romantico arrabbiato, o incrostato, come preferite. Questo libro è per me una questione di arte pura, di partito preso. Niente di più. [...] Mi è stato fisicamente penoso da scrivere. Ho intenzione di vivere da ora (o piuttosto di rivivere) in un ambiente meno nauseabondo.» (A Sainte-Beuve *5 maggio 1857*)

«Non vi paragonate alla Bovary, non le assomigliate per niente. Essa vale molto meno di voi come testa e come cuore; poiché si tratta di una natura un poco perversa, di una donna di falsa poesia e di falsi sentimenti. La prima idea che avevo avuto era di farne una vergine che vive in provincia, che invecchia nella tristezza e che arriva così agli ultimi stadi del misticismo e della passione sognata...» (A Leroyer de Chantepie *30 marzo 1857*)

«Sono abbrutito. [...] Spero che entro un mese la Bovary avrà il suo arsenico nella pancia. Te la porterò già sotterrata? ne dubito.» (A Louis Bouilhet *16 settembre 1855*)

È questo l'ultimo sacrificio alle ragioni melodiose dell'amicizia? La morte violenta di Emma-Louise lo rende finalmente libero da una schiavitù che ingombrava la strada dei suoi rapporti con gli amici?

Ma forse bisognerà aspettare *Bouvard e Pécuchet* per capire finalmente cosa potesse essere l'amicizia maschile per Flaubert: un legame tenerissimo, che, spogliato del desiderio sessuale, delle ambizioni letterarie, delle occupazioni mondane, nella sua essenzialità dolce e profonda, è capace di riempire senza rimpianti la vita intera di un uomo.

Il sogno è stato reso impossibile dalla morte del più caro e vicino amico, Louis Bouilhet, strappato a una vecchiaia in comune da una malattia inattesa. Ma si trasformerà in una grande fantasmagoria cartacea. E lì andrà a casarsi e a morire il nostro amico Gustave Flaubert, lontano dalle scimmie minacciose in un tranquillo orto della campagna francese, sognando di «circondarsi di marmi e di porpore, di possedere divani di piume di colibrì, tappeti in pelle di cigno, poltrone di ebano, pavimenti di tartaruga, candelabri d'oro e lampade scavate nello smeraldo». (*29 gennaio 1854*)

Finito di stampare nel mese di settembre 1993
presso il Nuovo Istituto Italiano d'Arti Grafiche
Bergamo

Printed in Italy